D0571930

DETHOLION O DESTAMENT NEWYDD 1567

Teſtament
Newydd ein Arglwydd
JESV CHRIST.

Gwedy ei dynnu, yd y gadei yꝛ ancyfia-
ith, 'air yn ei gylpdd oꝛ Groec a'r Llatin, gan
newidio ffurf llythyꝛen y gairiac-dodi . Eb law hyny
y mae pop gair a dybiwyt y bot yn andeallus,
ai o ran llediaith y 'wlat , ai o ancynefin-
der y dednydd , wedy ei noti ai eg-
lurhau ar 'ledempl y tu da-
len gyoꝛypchiol.

bot golauni ir byt , a' charu o ddynion y tywyllwch

Matheu x iii.f.
Gwerthwch a veddwch o ꝛudd
(Ll'yma'r Man lle mae'r mdd
Ac mewn ban angen vy byld)
I gael y Perl goel hap wedd.

Wynebddalen *Testament Newydd* 1567

DETHOLION
O
DESTAMENT NEWYDD
1567

GYDA

RHAGAIR

GAN

THOMAS PARRY

CAERDYDD
GWASG PRIFYSGOL CYMRU
1967

GWNAETHPWYD AC ARGRAFFWYD YNG NGHYMRU
GAN WILLIAM LEWIS (ARGRAFFWYR) CYF., CAERDYDD

RHAGAIR

BWRIADWYD y detholiad hwn fel cyfraniad at ddathlu pedwar can mlwyddiant cyhoeddi'r cyfieithiad cyntaf o'r Testament Newydd i'r Gymraeg yn 1567, yr hyn a elwir yn gyffredin yn 'Destament William Salesbury'. Dewiswyd y tri llyfr hyn fel enghreifftiau o waith y tri chyfieithydd: yr Efengyl yn ôl Marc gan William Salesbury, yr Epistol at yr Hebreaid gan Richard Davies, Esgob Tyddewi, a Gweledigaeth Ioan gan Thomas Huet, Cantor Tyddewi.

Y mae'n ymddangos fod Robert Saunderson, y Bala, wedi bwriadu ailargraffu'r Testament Newydd 'yn ôl y cyfieithiad a gyhoeddwyd gan yr enwog W. Salesbury' yn 1819, a'i gyhoeddi yn rhannau, ond dim ond y rhan gyntaf, yn 48 o ddudalennau, a gyhoeddwyd, hyd y gwyddys.

Yn 1850 cyhoeddodd Robert Griffith, llyfrwerthwr yng Nghaernarfon, adargraffiad o'r holl Destament, gan gynnwys ar y dechrau epistol Richard Davies at y Cymry, annerch Salesbury 'at yr oll Cembru ys ydd yn caru ffydd ei hen deidieu y Britanieit gynt', a chyngor Ioan Aurenau i'r lleygwyr. Ond ni chynhwyswyd yr almanac na chyfarchiad Salesbury i'r Frenhines Elisabeth, na chwaith y tabl o'r efengylau a'r epistolau a ddarllenir yng ngwasanaeth yr eglwys, sydd ar ddiwedd y llyfr.

Dywedir mai'r Parch. Isaac Jones oedd golygydd adargraffiad 1850. Ganed ef yn 1804 ym mhlwyf Llanychaearn, Ceredigion, a chafodd addysg mewn ysgol yn Aberystwyth ac yna yng Ngholeg Dewi Sant, Llanbedr Pont Steffan. Bu'n offeiriad yn Llanfihangel Genau'r Glyn a Chapel Bangor yng Ngheredigion, ac yn Llanedwen a Llanddaniel-fab, Môn. Bu farw yn 1850, y flwyddyn y cyhoeddwyd yr adargraffiad o'r Testament. Cyhoeddodd ramadeg Cymraeg yn 1832, a chyfieithodd rai llyfrau diwinyddol corffol o'r Saesneg i'r Gymraeg. (Gw. *Y Bywgraffiadur*, a Glyn Lewis Jones, F.L.A., *Llyfryddiaeth Ceredigion*). Ni wn ar ba sail y priodolir golygyddiaeth y Testament i Isaac Jones. Y cyntaf i wneud hynny, hyd y sylwais i, oedd Charles Ashton yn ei

Hanes Llenyddiaeth Gymreig (t. 628) yn 1891. Diddorol fuasai gwybod beth oedd y cymhelliad neu pwy oedd y tu cefn iddo.

O ran argraffwaith y mae cyfrol 1850 yn waith glân a chelfydd; yr argraffydd oedd James Rees, Heol y Castell, Caernarfon. O dro i dro fe roed gair da i'r golygydd hefyd am gywirdeb yr adargraffiad, a hyd y sylwyd wrth argraffu'r tri thestun sydd yn y gyfrol hon, y mae'r gwaith ar y cyfan yn rhyfeddol o gywir, yn arbennig o gofio'i gyfnod. Ond fe ddigwyddodd rhywbeth cyn y diwedd. Tua'r ddeunawfed bennod o Weledigaeth Ioan y mae pethau'n dirywio, ac y mae'r ddwy bennod olaf yn dryfrith o gamgymeriadau. Fe ellid cynnig llawer damcaniaeth i esbonio hyn, ac efallai y byddai'n werth ystyried un. Fel y dywedwyd, bu Isaac Jones farw yn yr un flwyddyn ag yr ymddangosodd yr adargraffiad, ac efallai fod gwendid iechyd wedi rhwystro iddo orffen y gwaith o olygu yn briodol.

Argraffwyd Testament 1567 â'r llythyren ddu oedd yn gyffredin yn y cyfnod, ond bod llythrennau rhufeinig yn digwydd yn nheitlau'r llyfrau, ac italig yn y teitlau ar frig pob tudalen. Defnyddir llythrennau rhufeinig hefyd i ddynodi geiriau neu ymadroddion a ychwanegir er mwyn eglurder, ond nad ydynt yn y gwreiddiol Groeg, ac i ddynodi rhannau o eiriau nad oes raid wrthynt, fel y sillaf olaf yn y gair 'diffeithwch'. Defnydd arall ohonynt yw cyfleu geiriau Groeg yn y glosau ar ymyl y tudalennau. Defnyddir llythrennau italig i nodi pwy a gyfieithodd y llyfr, fel ar ddechrau'r Epistol at yr Hebreaid a Gweledigaeth Ioan, a hefyd i nodi yma ac acw fod y bennod i'w darllen ar ddiwrnod arbennig yng ngwasanaeth yr eglwys. Wrth baratoi'r gyfrol hon barnwyd nad doeth fyddai defnyddio'r llythyren ddu, gan nad yw'r llygad bellach yn gynefin â hi, a dilynwyd yn hytrach yr hyn a wnaed yn adargraffiad 1850, sef defnyddio llythrennau rhufeinig yn lle'r llythrennau duon, a llythrennau italig lle bynnag yr oedd llythrennau rhufeinig yn y gwreiddiol.

Y mae rhai enghreifftiau yn y gwreiddiol o ddefnyddio arwyddion arbennig i ddynodi rhai llythrennau. I gyfleu'r llythrennau *m* ac *n* rhoir arwydd uwchben y llafariad, fel yn 'tẽptio', 'gohãglaf'. Rhoir dot uwchben *d* i ddynodi *dd*, a sillgoll ar ôl *l* i ddynodi *ll*, fel yn 'l'ong', 'col' '. Yn yr adargraffiad hwn nid amcanwyd dangos yr arwyddion hyn, ond ysgrifennu'r geiriau'n llawn.

Un o nodweddion mwyaf diddorol y Testament yw'r glosau ar ymylon y dalennau. Cyfeirir at y gair yng nghorff y tudalen â seren a dager dwbl bob yn ail. Nid yw'r rhain yn gywir bob tro. Weithiau y mae seren lle dylai dager fod, ac fel arall, ac ambell waith y mae un o'r arwyddion hyn yn y testun heb ddim yn cyfateb ar yr ymyl. Yn hyn o beth ac ym mhopeth arall amcanwyd yn yr adargraffiad hwn atgynhyrchu'r testun gwreiddiol yn union fel yr argraffwyd ef yn 1567, gan gynnwys y gwallau sillafu. Ond ni chadwyd at hyd y llinellau na hyd y tudalennau yn yr argraffiad cyntaf. Yr amcan oedd darparu testun y gellid ei ddarllen yn rhwydd heddiw, a gweled sut y gwnaeth y tri chyfieithydd eu gwaith.

Y mae arnaf ddiolch i'r argraffwyr am eu gwaith, ac yn arbennig iawn i Dr. R. Brinley Jones, Ysgrifennydd Bwrdd Gwasg y Brifysgol, am ddarllen y proflenni, a hynny gyda gofal a manylder mawr.

THOMAS PARRY

Aberystwyth

LLYMA CYSSECRSANCT

EUANGEL IESU CHRIST,

*YN OL

M A R C.

* erwydd, y
gan

Pen. j.

Swydd, dysc, a' buchedd Ioan Vatyddiwr. Batyddiaw Christ. Ei
demtio ef. Ef yn praecethy. Ef yn calw 'r pyscotwyr. Christ yn
iachay 'r dyn a'r yspryt aflan. Dysc newydd. Ef yn iachau chwegr
Petr. Bot y cythraulieid yn ei adnabot ef. Ef yn glanhay'r gohan-
gleifion, ac yn iachay ereill lawer.

DECHRAE 'r Euangel Iesu Christ vap duw: mal
ydd yscrifenir yn y Prophwyti, *Nycha vi yn
*danvon vy-cenat rac dy wynep, yr hwn a ‡paratoa
dy ffordd *oth vlaen. Llef yr vn yn l'efain yn y
diffaith, *yvv*, Paratowch ffordd yr Arglwydd: vnion-
wch y lwybrae ef. Ioan oedd yn batyddyaw yn y
‡diffaith, ac yn precethy betydd *emendaat buchedd,
er maddeuant pechotae. Ac e daeth allan attaw oll
wlad Iudaia, ac wy o Caesusalem, ac ei bedyddiwyt oll
ganto yn afon Iorddonen, can *ydd*wynt cyffessy ei
pechotae. Ac e wiscit Ioan o vlew camel, a' gwregis
croen o *dd*yamgylsh ei *lwyni: ac ef a vwytaei ‡lo-
custae a' mel gwyllt, ac a precethei gan ddywedyt,
Ys daw ar vy ol i, vn cadarnach no mi*vy*, yr hwn ni*d*
wyf deilwng i *grymy a' datod carrae ei ‡escidiae.
Diau *yvv* mi*vi* ach batyddiais chwi a' dw*fr*: ac ef*e* a'ch
betyddia *chvvi* a'r Yspryt glan.

Ac e ddarvu yn y dyddiae hynny, *yvs* daeth Iesu
o Nazaret *dinas yn* Galilaia: ac ei betyddiwyt y gan
Ioan yn Iord*d*onen. Ac yn ebrwydd gwedy iddo
ddyvot i vyny*dd* o'r dw*fr*, y gwelawdd *Ioan* y nefoedd
wedy 'r ‡hollti, a'r Yspryt glan yn descend arnaw
me*g*is colomben. Yno y bu *llais o'r nefoedd, *yn dy-
vvedyt*, *ys* Ti yw vy-caredic*ol* Vap, yn yr hwn im
‡bod*d*lonir. Ac yn y man y *gyr*rodd* yr Yspryt *glan*
ef ir diffeith*vvch*. Ac ef a vu yno yn y diffeith*vvch*

* Wele

‡ arlwy

* rhagot,
  yndywydd

‡ anialwch
* gwellad

* llwyfenni
‡ ceilogot
  rhedyn

* estwng
‡ wadnae

* ddyvot o

‡ agori
* llef

‡ boddheir,
  digrifir
* dyr, gwthia

2

YR EUANGEL Y GAN

‡ Brovi
* aniuelieit
 gwyltion
‡ wasanaethi

* dylynwch vi

* irdangy

‡ dinistry,
 diva?
* ceryddodd,
 coddawdd

‡ vchel

* veddiant

‡ cy

* mam gwreic

dauugain die*rnot*, a' Satan yn ei ‡demptio: ac ydd oedd ef y gyd a'r *bwystviledd, a'r Angelion vyddent y'w ‡weini *ef.*

A' gwedy darvot rhoddy Ioan *yn-carchar*, y daeth yr Iesu i'r Galilaea, gan precethy Euangel teyrnas Duw, a' dywedyt: *Ys* cyflawnwyt yr amser, ac y mae teyrnas Dhuw geyrllaw: edifarhewch, a' chredwch yr Euangel.

Ac val y rhodiei ef wrth vor Galilaea, ef a welawdd Simon, ac Andreas ei vrawt, yn bwrw rhwyt ir mor, (can ys pyscotwyr oeddynt.) Yno y dyvot yr Iesu wrthynt, *Dewch ar vo'l i, ac ich gwnaf yn pyscotwyr dynion. Ac yn y van y maddeuosont ei rhwytae, ac y dylynesont ef. A' gwedy iddaw vyned ychydic *ym*-pellach o *dd*yno, ef a welawdd Iaco *vap* Zebedeus, ac Ioan ei vrawt, val ydd oeddynt yn y llong yn cyweirio ei rhwytae. Ac yn yman y galwodd ef wy: ac wy a adawsant ei tad Zebedeus yn y llong y gyd a'ei gyfloc-ddynion, ac aethant ffwrdd ar y ol ef.

Yno ydd aethont y *mevvn y* Capernaum, ac yn eb-rwydd ar y dydd Sabbath ydd aeth ef y mewn ir Synagog ac y dyscawdd *ef vvynt.* Ac *aruthro a wnaethant wrth ei ddysc*eidaeth* ef: can ys ef y dysc-awdd wy mal vn ac awturtot cantaw, ac ny*d* mal y Gwyr-llen.

Ac ydd oedd yn y Synagog wy ddyn ac ynthaw yspryt aflan, ac ef a lefawdd, gan ddywedyt, Och, pa beth 'sy i ni a wnelom a thi r Iesu o Nazret? *A* ddaethost *ti* in ‡colli *ni?* Ith adwaen pwy wyt, *nid amgen* y Sanct *eiddo* Duw. A'r Iesu a ei *ysdwrdiodd, gan dywedyt, Ystaw, a' dyre*d* allan o hanaw. A'r yspryt aflan y rhwygodd ef, ac a wae ddawdd a llef ‡vawr, ac a ddeuth allan o hanaw. Ac wy oll a *dd*echrynesont, y ny*d* ymofynnent yn ei plith, gan ddywedyt, Pa beth yw hyn? pa *ryvv* ddysc newydd yw hon? can ys gorchymyn ef ir ysprytion aflan trwy *awturtot, ac *vvy* uvyddant yddaw. Ac yn ebrwydd ydd aeth son am danaw dros yr oll wlat yn-cylch Galilaea.

Ac ‡er cynted yd aethant allan o'r Synagog, myn*ed* a orugant *y mevvn* i duy Simon ac Andreas, y gyd ac Iaco ac Ioan. Ac ydd oedd *chwegr Simon yn

gorwedd yn glaf o'r ‡haint-gwres, ac yn lleigys y ‡ cryd,
dywedesont wrthaw am denei. Ac ef a ddaeth ac ei
cymerth hi *erbyn hei llaw, ac ei dyrchafodd i vyny*dd*, * teirtron,
a'r haint-gwres *h*ei gada*vv*odd eb 'ohir, a hi aeth y twymyn.
weini yddynt. Ac wedy yhwyrhay hi, a' myned haul i
*lawr, y ducesont ataw *bavv*poll a'r oedd*ent* yn gleif- * ymachlud,
ion, a'r ei oedd yn gythreuli*cion*. A'r oll ddinas a i lywenydd
ymgasclodd *yd* wrth y drws. Ac ef a iachaodd lawer
a'r oeddent yn gleifion o amrafael heintiae: ac a vwr-
iodd allan lawer o gythreulieit: ac ny'*s* gadawdd i'r
cythraelieit ddywedyt ydd adwaenent ef. Ac yn dra
borae ar y cynddydd y cyfodes *yr Iesu*, ac aeth allan ac
y dynnodd i le ‡ar ddieithr, ac yno*vv* y gweddiawdd. ‡ diffaith, dir-
A' Simon, a'r ei oedd*ent* gyd ac ef, ei dylynesont, *ef.* gel disathr,
A' gwedy yddwynt ei gahel, y dywedesont wrthaw, didreigl ddyn
Y mae pawp yn dy gaisiaw. Yno y dyvot ef wrthynt,
Awn ir trefi nesaf, val y precethwyf yno hefyt: can ys
er *mvvyn* hyn y daethym allan. Ac ef a precethawdd * gohanglaf
yn y Synagogae hwy trwy'r oll Galilaea, ac a vwriodd
allan gythraulieit.

Ac e ddaeth ataw *ddyn* clavr*llyt* gan *weddiaw
arnaw, a' myned ar liniae iddaw, a' dywedyt wrthaw, ‡ adolwyn iddo
A's ewyllysy, gelly vy-‡glanhau. A'r Iesu a dostur- * phenlino
iawdd, ac a esten*d*awdd ei law, ac y cyhyrddawdd ef, ‡ carthy
ac a ddyvot wrthaw, Ewyllysaf: *glanhaer di. Ac * carther
er cynted y dyvot ef *hyn*, yr ymadawodd y ‡clefri ‡ clwyf gohan
ac ef, ac y glanhawyt. A' gwedy gorchymynyn o ai'r clwy mawr
hanaw iddo yn *ddirfing, ef ei *d*anfones ymaith eb * galet
oludd, ac a ddyvot wrthaw, Gwyl na ddywetych ddim ‡ ac
i nep, and tyn ymaith, ‡a' dangos dy hun ir Offeiriat, * ymddangos
ac offrwm dros dy 'lanhat y pethae a' orchymynawdd
Moysen, er testiolaeth yddwynt. Yntef wedy iddo
vyned ymaith, a ddechreawdd venegi llawer o bethae, * peth
a' chyhoeddy y *chwedyl: val na allai 'r ‡Iesu ‡ *Groec*, ef
mwy vyned yn amlwc i'r dinas, eithyr ydd oedd ef
allan yn lleoedd diffaith: a' daethant attaw o *bop * bop ban, bop-
man. parth

Pen. ij.

Christ yn iachay yr dyn o'r parlys. Ef yn maddae pechotae. Ef yn
galw Leui yr amobrydd. Ef yn bwyta gyd a phechaturieit. Ef yn
escuso ei ddiscipulon, am vmprydio a' chadw'r dydd Sabbath.

GWEDY *ychydic* ddyddiae, ef aeth y mewn i
Capernaum dragefyn, ac a glypwyt y vot ef yn
tuy. Ac yn y man, yr ymgasclent llawer ygyt yd
na *anen mwy*ach*, nac *yn y lloedd* wrth y drws: ac
ef a precethawdd y gair yddwynt. Yno y daeth
attaw 'r ei yn dwyn vn claf o'r parlys, a ddygit y
gan petwar. A' phryt na allent ddyvot yn nes ataw
gan y ‡dorf, *dido*i* y to a wnaethant lle ydd oedd
ef: a' gwedy yddwynt ei gloddio trwyddaw, y gellyng-
esont y lawr *vvrth raffe* y ‡glwth yn yr hwn y gor-
weddei 'r dyn a'r parlys arnaw. A' phan weles yr
Iesu y ffydd wy, y dyvot wrth y claf o'r parlys, *ha*
Vap, maddeuwyt yty dy pechotae. Ac ydd oedd yr
ei o'r Gwyr-llen yn eistedd yno, ac yn *ym*resymy yn
ei calonae, Paam y dywait hwn gyfryw gabl? pwy a
*ddygon vaddae pechotae any Duw y ‡hun? Ac
yn ebrwydd pan wybu'r Iesu yn ei yspryt, yddwynt
veddwl val hyn ynthyn y unain, y dyvot wrthynt,
Pa 'r a ymrysymy ydd ych ‡ar y pethae hyn yn
eich calonae? Pa vn hawsaf ai dywedyt wrth y claf
o'r parlys, Maddeuwyt yty dy pechote? ai dywedyt,
*Cyvot, a' chymer ymaith dy ‡lwth a' rhodia? Ac
val y gwypoch, vot i vap y dyn *awturtot yn y ddaiar
i vaddae pechotae (eb yr ef wrth y claf o'r parlys)
Wrthyt y dywedaf, cyfot, a' *chymer ymaith dy
‡'lwth, a' thynn ffwrdd ith duy *dy vn.* Ac yn y
man y cyfodes, ac y cymerth ei 'lwth ymaith, ac aeth
allan yn y gwydd wy oll, yn y sannawdd a'r bawp, a'
*gogoneddy Duw, gan dywedyt, Er ioed ny welsam
ni cyfryw beth.

¶ Yno ydd aeth ef drachefyn *parth a'r mor, a'r
oll popul a dynnawdd ataw, ac ef a ei dyscawdd *hvvy.*
Ac val ydd aeth yr Iesu heibio, ef a' welawdd Levi
vap Alphaeus yn eistedd wrth y ‡dollfa, ac a ddyvot
wrthaw, dylyd vi. Ac *ef* a godes, ac ei dylynawdd ef.

Ac e ddarvu a'r Iesu yn eistedd i vwyta yn y duy
ef, Publicanieit lawer, a' phechaturieit a eisteddesont
a gyd a'r Iesu, a' ei ddiscipulon: can ys yr oedd llawer
ac yn y ddylyn ef. A' phan welawdd y Gwyr-llen a'r
Pharisaieit, y dywedesont wrth ei ddiscipulon ef, Paam
yw iddaw vwyta ac yfet y gyd a' Publicanot a' phec-
aturieit? A' phan ey clypu 'r Iesu ef a ddyvot

* weddyn bell-
ach

‡ ymsang
‡ dynoethi

‡ gwely

* all
‡ yn vnic

‡ am

* Cwyn
‡ wely
  veddiant

* chyvot

‡ wely
* i vyny

* chlodfori

* tu

wrthynt, Nid rait ir ei iach wrth y *meddic, ‡amyn   * physigwr
i'r clefion. Ny daethy mi y alw 'r ei cyfion, amyn   ‡ ond
y pechaturieit *i edifeirwch. A' discipulon Ioan a'r   * ar iawn
Pharisaieit y ymprydynt, ac a ddaethant ac a ddywed-
esont wrthaw, Pa*am* yr vmpridia discipulon Ioan ar
ei y Pharisaieit ath rei di eb vmprydio? A'r Iesu   * ddiscipulon
a ddyvot wrthynt, A eill plant yr ystafell-briodas vm-
pridiaw, tra vo'r Priawt cyd a hwy? tra vo'r Priawt
y canthwynt, ny's gallant vmprydiaw. Ac *ys* daw'r
dyddiae pan ddycer y Priawt y ‡canthynt, ac yno ydd   ‡ arnynt
vmprydiant yn y dyddiae hyny. Hefyt ny wni*a* nep
lain o vrethyn newydd mewn *gwisc hen: ac ‡any*d*   * dilledyn
ef y *llain* newydd a dyn ymaith y cyflawnder y *gan   ‡ os amgen / * wrth
yr hen, a gwaeth vydd y rhwygiat. Ac ny ddyd nep
win uewydd mewn ‡llestri hen: ac anyd e y gwin   ‡ potennae, potelae
newydd a ddryllia 'r llestri, a'r gwin a ‡gerdd allan,   ‡ ddyneuir, dywelltir
a'r llestri a gollir: eithyr gwin newydd a ddodir mewn
llestri newydd*ion*.
    Ac e ddarvu ac ef yn myned trwy 'r *yd ar y *dydd*   * llafnr / ‡ y ffordd
Sabbath, vot ei ddiscipulon wrth ‡ymddaith, yn dechrae
tyny 'r tywys. A'r Pharisaieit a ddywedesont wrthaw,
‡Nycha, pa*am* y gwnant ar y *dydd* Sabbath, yr hyn   ‡ Wely / * rydd
ny*d* *cyfroithlon? Ac ef a ddyvot wrthynt, A ny
ddarllenesoch er ioed pa *beth* awnaeth Dauid, pan
oedd arno eisie, a' newyn, ef*e*, a'r ei *oedd* gyd ac ef?
Po'dd yr aeth ef i duy Dduw yn-*d*yddiae Abiathar yr
Archoffeiriat, ac y bwytaodd y bara ‡dangos, yr ei   ‡ gosod, dodi,
ny*d* cyfreithlon ei bwyta n'amyn ir Offeiriait *yn vnic*,
ac *ei* rhoes hefyd ir ei oedd gyd ac ef? Ac ef a ddyvot
wrthynt, Y Sabbath a wnaed er *mvvyn* dyn, ac ny*d*
dyn er *mvvyn* y Sabbath. Erwydd paam Map y dyn   * ys
'sy Arglwydd *ac ar y Sabbath.

Pen. iij.

Christ yn gwaredy y dyn ar llaw ddiffrwyth: Yn ethol ei Ebestyl.
Popul y byd yn tybied bod Christ wedy *gorphwyllo. Ef yn   * y maes oi gof
bwrw allan yr yspryt aflan, yr hyn a daera yr Pharisaieit ey vot
drwy nerth y cythrael. Cabledigaeth yn erbyn yr Yspryt glan.
Pwy brawd, chwaer, a' mam Christ.

AC ef aeth y mywn drachefyn ir synagog, ac ydd oedd
yno ddyn ac iddo law wedy gwywo. Ac wy ei
*d*ysawyliesont a iachai *ef* hwnw ar y dydd Sabbath, val

y caffent achwyn arnaw. Yno y dyvot ef wrth y dyn a'r llaw 'wyw, Cyvot, *a' sa* yn y *cenol. Ac ef a ddyvot wrthwynt, *Ai* cyfreithlawn gwneythy *tvvrn* da ar y *dydd* sabbath, ai gwneiythy drwc? ‡cadw enaid ai lladd? Ac wyth*eu* a *dd*ystawsont. Yno ydd edrychawdd ef o y amgylch arn*addy*nt yn dddigllawn can *gyd-doluriaw ‡rrac caledrwydd y calon*ae* hwy, ac a ddyvot, wrth y dyn, Esten*d* dy law. Ac ef ei esten*d*awdd: aei law a *adverwyt yn iach val y llall.

A'r Pharisaieit aethon ymaith, ac yn y man ydd ymgygoresont gyd a'r Herodiait yn y erbyn ef, pa vodd y ‡collent ef. A'r Iesu ef a ei ddiscipulon a *en*ciliawdd i'r mor, a' lliaws mawr y dylynawdd ef o' Galilaea ac o Iudaia, ac o Gaerusalem, ac o Idumaea ac o'r tuhwnt i Iorddonen, a'r ei o gylch Tyrus a' Sydon, pan glywsont veint a wnaethei *ef*, a ddaethant attaw yn lliaws mawr. Ac ef a ddyvot wrth ei ddiscipulon ‡am vot llong*an* yn parat iddaw, o bleit y dyrfa, rac yddyn y wascy ef. Can ys llawer a iachaesei *ef*, yn yd oeddent yn pwyso *arnaw, er ei gyhwrdd cynnifer ac oedd a ‡phlae arnynt. A'r ysprytion aflan pan welsant ef, a gwympesont i lawr geyr ei vron, ac a *waeddesant, gan ddywedyt, Ti yw 'r Map Duw. Ac ef ei ysdwrdiawdd yn ‡ddirvawr, rac yddyn y *gyhoeddy ef. Yno yr escennawdd ef ir mynyth, ac a alwodd attaw yr ei a ewyllysiawdd ef, a' hwy a ddaethant ataw. Ac ef a 'ossodes ddauddec, y vot o hanwynt y gyd ac ef, val yd anvonei ef wy i precethy, a' bod yddwynt veddiant i iachay heintiae, ac y vwrw allan gythraelieit. A'r cyntaf *oedd* Simon, ac ef a ddodes i Simon enw, Petr. Yno Iaco *vap* Zebedaeus, ac Ioan, brawt Iaco (ac a ddodes enwae yddwynt Boanerges, yr hyn yw meibion y *daran) ac Andreas, a' Philip, a' Bartholomeus, a' Matthew, a' Thomas, ac Iaco, *vap* Alphaeus, a' Thaddaeus, a' Simon y Cananeit, ac Iudas Iscariot, yr hwn ‡ac ei bradychawdd ef, a' hwy a ddaethant *edref. A'r dyrfa a ymgynullawdd drachefyn, val na allent gymmeint a bwyty bara. A' phan glypu ei ‡gyfnesafsieit, wy aethan allan y ymavlyd ynthaw: can ty bieit y vot ef *o ddyeithr ei bwyll.

A'r Gwyr-llen a ddaethent o Caerusalem, a ddywed-

Marginal notes (left column):

* pervedd

‡ achup einioes

* gwynofain
‡ o bleit, gan

‡ difaent, difethent

‡ ar

* ato

‡ heiniae

* lefasant
‡ dost
* amlygy

‡ trwst

‡ hefyt
* ir tay

‡ gereint

* ymaes oei gof

esont, vot Beelzebub gantaw, ac mai trwy pennaeth y
cythraelieit y bwrei allan gythraelieit. Yno ef y
galwodd wy ataw, ac a ddyvot wrthwynt *ym-   * mewn
parabolae. Pa vodd y gall Satan ‡vwrw allan   damegion ‡ yrry
Satan? Can ys a bydd teyrnas wedy r' ymranny
yn y *h*erbyn ehun, ny*d* all y deyrnas houo sefyll. Ac
a's ymranna tuy yn y erbyn ehun ny ddychon y tuy
hwnw *sefyll. Velly a's cyfyt Satan yn y erbyn hun,   * barhay
ac ymranny, ny all ef barhay, amyn bod tervyn iddo.   ‡ tranc, dywedd
Ny ddygon nep vyned y mewn i tuy yr cadarn a' dwyn   dyben * dda
ymaith *ei* *lestri, dyeithr iddo yn gyntaf rwymo yr   ‡ cribdeilio
cadarn hwnw, ac yno ‡yspeilio ei duy.
Yn wir y dywedaf y chwi, y maddauir oll pechotae
i blant dynion, a' pha gablae, bynac y cablant: an'd
pwy pynac a gabl yn erbyn yr yspryt glan ny chaiff
vaddeuant yn dragyvyth, any'd bot yn euoc y varn
dragyvythawl, can yddyn ddywedyt, vot ‡ganthaw   ‡ iddo, yntho
yspryt aflan.
Yno y daeth ei vrodur a' ei vam, a' safasant allan,
ac a *dd*anvoneson ataw, ac a' alwason arnaw. A'r
popnl a eisteddawdd oei amgylch ef, ac a ddywedesont
wrthaw, *Nycha, dy vam, a'th vroder yn dy geisiaw   * Wele
allan. 'Ac ef y atepawdd wy, gan ddywedyt, Pwy
yw vy mam a'm broder? Ac ef a edrychawdd o y
amgylch ar yr ei, 'oedd yn eistedd yn y gylchedd yn
ei o gylch, ac a ddyvot, ‡Nycha vy mam a'm broder.   ‡ Wele, Llym a
Can ys pwy pynac a wnel ewyllys Duw, hwnw yw vy-
*b*rawt, a'm chwaer a' mam.

Pen. iiij.

Wrth barabol yr had, a'r gronyn mustard, y mae Christ yn dangos
braint teyrnas Dduw. Dawn ragorawl gan Dduw cahel gwybot
dirgeledigaethae y deyrnas ef. Ef yn goystegy temrestl y mor,
yr hwn a vvyddhaodd iddo.

AC ef a ddechreawdd drachefyn precethy yn-glan
y mor, a' thyrfa vawr a ymglascawdd ataw, yn
yd aeth ef y long, ac eistedd yn y mor, a'r oll popul
oedd ar y tir wrth y mor. Ac ef a ddyscawdd ydd-
wynt laweredd *ym-parabolae, ac a ddyvot wrthwynt   * ar ddameg-
yn y ddysc ef. Gwrandewch: Nycha, ydd aeth heywr   ion, cyffelyp- wraethae
allan y *h*eheu. Ac e ddarvu val ydd oedd ef yn *h*eheu,
cwympo o ‡beth wrth *vin* y ffordd, ac a ddaeth ehediait   ‡ vn, rei

* yr awyr
‡ bwyteson,
  ysyson

* diwrydywyt
  yr

‡ yr yscall

*y nef ac ei ‡difasont. A' pheth a gwympodd ar *dir*
caregawc, lle nid oedd iddo vawr ddaiar, ac yn y van
yr eginawdd, can nad oedd iddo ddyfnder daiar. A'
phan godaw haul, y *gwresogwyt ef, a' chan nad oedd
yddo wreiddyn, y *tra* gwywawdd. A' pheth a gwymp-
iawdd ymplith ‡y drain, a'r drain a dyfeson ac ei tag-
eson, val na roddes ffrwyth. A' pheth arall a gwymp-
iodd mewn tir da, ac a roddes ffrwyth ac a eginawdd
i vyny*dd*, ac a dyfawdd, ac a dduc, peth ar *ei* ddecfed
ar vgain, peth ar *ei* drugainvet, a' pheth ar ei ganvet.
Yno y dyvot ef wrthwynt, Y nep 'sy ganthaw glustiae
i wrandaw, gwrandawet. A' phan ytoedd ef *vvrtho* y
hun yr ei oedd yn y gylch ef y gyd a'r dauddec, a
*ym*ovynesont iddaw am y parabol. Yno y dyvot wrth-
wynt, Y chwi y rhoddwyt gwybot dirgeledigaeth
teyrnas Dduw: an'*d* ir ei' 'n '*sydd* allan, y gwnair yr
oll pethae *hyn* drwy parabolae, pan yw yn gwel*e*d, y
gwelant, ac ny chanvyddant: ac yn clywed, y clywant,
ac ny ddyellant, rac *bod* yddyn byth ymchoelyt a *chael*
maddae yddyn *ey* pechotae. Ac ef a ddyvot wrthyn,
Any wyddoch*vvi* y parabol hwn? a' pha wedd y
*gwybyddech*vvi* yr oll parabolae *ereill?* Yr heuwr
hvvnvv a heuha yr gair. A'r ei hyn yw'r sawl *a dder-
byniant yr had* wrth *vin* y ffordd, yn ei yr heuwyt y
gair: ac 'wedy y clywont, y daw Satan yn y man, ac
a ddwc ymaith y gair y heuesit yn y calonae wy. Ar
vn ffynyt yr ei a *dd*erbyniant yr had yn y *tir* caregawc,
yw 'r ei hyny, y sawl gwedy yddyn glywed y gair,

‡ yn llawen

yn y man y*d* erbyniant ef ‡gyd a llewenydd, ac nid
nes yddyn wraidd ynthyn y *h*unain, ac velly dros amser

* blinder
‡ yny man
* trwckian
‡ prydece
* twyll, hud
  cyvoeth

ydd ynt: yno pan goto *gorthrymder ac ymlit o bleit
y gair ‡eb ohir y *rhwystrir wy, A'r ei a *dd*erbyniaut
yr had ynghyfrwng y drain, yw'r sawl a wrandawant
y gair: and *bot gafalon y byd hwn, a' ‡somiant
golud a' chwantae pethae ereil' yn dyvot y mewn ac
yn tagy 'r gair, ac ei gwneir ef yn ddiffrwith. A'r ei a
*dd*erbyniasont had mewn tir da, yw'r sawl a wrandawant
y gair ac ei *d*erbiniant, ac a ddugan ffrwyth, vn *gronyn*

* oleuir

‡ hob, vwisel
* gyhoedd

ddec ar vgain, aral' drugain, ac arall gant. Hefyd e
ddyvot wrthynt, A *ddaw canwyll yw gesot y dan
‡vail a y dan y vort, ac ni*d* yw gesot ar *gannwyll-
bren? Can nad oes dim cuddiedic, a'r na's amlyger:

ac nid oes dim dirgel, a'r ny*d* el yn ‡'olau. Ad
oes *ir vn glustiae i glywet, clywet. Ac ef a ddyvot   * i neb
wrthynt, ‡Gwiliwch pa *beth* a glywwch.   ‡ Gwelwch
A pha vesur
y mesuroch, y mesurir y chwi*the:* ac y chwi yr ei a
glywch y rhoddir y chwanec. Can ys i hwn ysy
gantho, y roddi yddaw, a' chan hwn ny'*d* oes, y dugir
y arno, *meint* ac ysy ganthaw.

Hyfyd e ddyvot, Velly ytyw teyrnas Dew, val pe
bwriai ddyn had i'r ddaiar, a' chyscu, a' chody nos a'
dydd, ac eginaw o'r had a' thyvu i vyny*dd*, ac efe eb
wybot pa vodd. Can ys y ddaiar a ddwc ffrwyth o
hanei y hun, yn gyntaf yr egin*in*, yn ol hyny yr
*grawn *yn* llawn yn y tywys*en*. Ac er cynted yr   * y yd, llafur
ymddangoso 'r ffrwyth, ‡eb 'ohir y dyd ef y cryman   ‡ yn y van, ar
ynthavv, can *ys* dyvod y cynayaf.   hynt, y rhydd

Ef a ddyvot hefyt, I ba *beth* y *tybygwn deyrnas   * dyvalwn
Dyw? ai a pha gyffelyprwydd y cyffelypwn hi? Cy-
ffelyp *yvv* i 'ronyn mustard, yr hwn pan hauer yn y
ddaiar, yw'r lleiaf o'r oll hadae y sy yn y ddaiar:
eithyr gwedy yr hauer, e dyf i vyny*dd*, a' mwyaf yw
o'r oll llysae, ac e ddwc gangae mawrion, y'n y allo
‡ehediait y nef nythu y dan y wascawt ef. Ac a   ‡ adar yr awyr
llawer o gyfryw barabolae y precethawdd ef y gair
yddwynt, me*g*is *ac* y gallent ei wrandaw. Ac eb par-
abolae ny'*d* ym adroddawdd ef *ddim* wrthynt: ac ef
a *esponiawdd *yr* oll *bethe* y'w ddiscipulon ‡wrthyn y   * ddeonglodd a
hunain.   ddatododd, a
                                                agorodd
A'r dydd hwnw gan yr hwyr, y dyvot ef wrthynt,   ‡ o'r neilltu
Awn trosawdd ir 'lan arall. A' gady y dyrva a
wnaethant, a ei gymeryd ef val ydd oedd yn y
llong*an:* ac ydd oedd hefyd llongae eraill y gyd ac
ef. Ac e gyfodes *cawod vawr o *wynt, a'r tonae a   * ystorm
daflasant ir llong, y'n yd oedd hi 'nawr yn llawn. Ac
ydd oedd ef yn y pen-ol-ir-llong yn cyscu ar ‡'oben-   ‡ glustoc,
ydd: ac wy ei *dihunasont, ac a ddywedesont wrthaw,   ysmwythfa
Athro, ‡Anyd gwaeth genyt er ein colli *ni?* Ac ef a   * diffroesont
gyfodes y vyny*dd*, ac a *ysdwrdiodd y gwynt, ac o   ‡ Ai
ddyvot wrth y mor, *ys* Taw, nag yngan. Yno y goys-   * geryddodd
tegawdd y gwynt, ac hi aeth yn *daweel*vvch* mawr.   * galm
Yno y dyvot ef wrthwynt, Paam ydd ych mor ofnus?   goystad
‡pa vodd *yvv* na'*d* oes ffydd genych? Ac wy a ofn-   ‡ podd
esont yn ddirvawr, ac a ddywed*e*sont wrth y gylydd,

‡ gwrando arno

Pwy yw hwn, can vot y gwynt a'r mor yn ‡vwyddhay iddaw?

Pen. v.

Yr Iesu yn bwrw 'r cythraulieit allan o'r dyn, ac yn goddef yddynt vynd i mewn y moch. Ef yn iachay 'r wraic ywrth y clefyt gwaed. Ac yn cody merch y capten.

A C wy ddaethan drosodd ir 'lan arall i'r mor, y wlat y Gadarenieit. A' gwedy y ddyvot ef allan o'r

* cyhyrddodd

llong, yn y man y *cyfarvu ac ef o'r monwenti ddyn yn yr hwn ydd oedd yspryt aflan: yr vn oedd ai drigfa yn

‡ beddae

y monwenti, ac ny allei nep y rwymo ef, na'g a chad-wynae, can yddo pan rwymit *ef* yn vynech a lleffeth-

* ddrylliei

eirie a chadwyni, ef a *vyscei 'r cadwyni *yn ddrylliae*, ac e dorei 'r lleffetheiriae yn *chvvilfrivv*, ac ny allei nep

‡ ddofi

y ‡warhay ef. Ac yn 'oystat nos a' dydd ydd oedd ef yn llefain yn y mynydde*dd*, ac yn y monwenti, ac yn ei

* drychy, ffusto

*guro ehun a main. A' phan ganvu ef yr Iesu o hirbell, y rhedawdd ac yr a ddolawdd ef, ac a lefawdd a

‡ groch, vawr

llef ‡vchel ac a ddyvot, Beth 'sy i mi a *vvnelvvyf* a thi Iesu vap *y* Duw goruchaf? ith *tyn*ge*d*af *trvvy* Dduw

* gorchymynaf

na phoenych vi. Can ys ef a ddywedesei wrthaw, Dyre*d* y maes o'r dyn yspryt aflan.) Ac ef a ovyn-awdd iddo, Pa enw 'sy iti? Ac ef a atepodd, gan

* lliosawc

ddywedyt, Lle*ng* '*sydd* enw i mi: can ys *llawer ym.

‡ daer

Ac ef ei gweddiawdd yn ‡vawr, na *dd*anvonei ef ddim hanynt allan o'r wlat. Ac ydd oedd yno yn y myn-

* ddieifyl

yddae genvaint vawr o voch yn pori. A'r oll *gyth-raelieit atolygesant iddaw, gan ddywedyt, *d*Anvon nyni i'r moch, val y gallom vyned oei mewn *vvy. Ac yn y man y rhoes yr Iesu gennad yddwynt. Yno ydd aeth yr ysprytion aflan y maes, a' myned y mewn ir

* cadw
‡ dyffwys. dibin
* llyn

moch, a' rhedec o'r *genvaint bendro-mwnwgl o *dd*iar y ‡gaulan i'r mor, (ac ydd oeddent yn-cylch dwyvil *ovoch*) ac eu bodwyt yn y *mor. A'r meichieid a ffoesont, ac a venagesont *hyny* yn y dinas, ac yn y wlat,

‡ a chythrael yntho

a' wy a ddaethant at yr Iesu, ac a welsant yr vn a vesei ‡yn gythraelic, ac a lle*ng* ynddaw, yn eistedd ac yn wiscedic, ac yn ei iawn synwyr: ac ofny a wnaeth-ant. A'r ei a *ei* gwelawdd, a venegawdd yddwynt, pa beth a wneithit i'r vn y bysei 'r cythrael ynthaw, ac

*am y moch. Yno y dechreysont y weddiaw ef, ar *ynghylch
vyn*ed* ymaith oei ‡goror wy. A' gwedy iddo vyned y ‡tervynae, ffiniae
mewn llong, y gweddiawdd arnaw yr hwn a vesei'r
cythrael yntho, ar gael bot y gyd ac ef.
A'r Iesu
ny *oddefawdd yddaw, eithyr dywedyt wrthaw, Dos *cheniadodd
ymaith ‡ith tuy, at *yr ei ‡*sy* i ti, a' menag yddynt pa ‡ancref *taudi, dwy-
ueint bethae a wnaeth yr Arglwydd y-ty, a' *phodd* y lwyth
trugarhaodd wrthyt'. Ac ef aeth ymaith, ac a ddech-
reawdd ‡gyhoeddy *in Decapolis pa bethe eu meint ‡yspysy, honny, ddatcan
a wnaethoedd yr Iesu yddaw: a' phawp a ryvedde*s*ont. *yn y ddectref

A' gwedy myned yr Iesu trosodd mewn llong i'r tu
arall, ydd ymgasclawdd tyrfa vawr ataw, ac ydd oedd ef
wrth '*lan* y mor. A' nycha y deuth ataw vn o *ben- *reolwyr
aethieit y Synagog, a' ei enw *oedd* Iairus: a' phan y
gwelawdd ef, y ‡dygwyddawdd i lawr wrth ei draed, ‡cwympodd
ac adolwyn yn vawr yddaw, gan ddywedyt, Y mae vy
merch ym-bron marw: *adolvvyn yty* ddyvot a *dody *gesot
dy law arni, val ydd iachaer hi, a'i byw. Yno ydd
aeth ef ‡cantho, a' thorf vawr ei dilynawdd, ac y ‡gydac ef
gwascasont ef. (Ac ydd oedd ryw wraic ac arnei
waed-lif *es* dauddec blynedd, ac a ddyoddefesei lawer*edd*
gan lawer o *veddigon, ac a drauliesei gymeint ac ‡phisigwyr
oedd *ar ei helw, ac eb *lesy dim iddi, 'namyn y *yn
myned hi yn *vwy gwaeth. Pan glypu hi *son* am yr ‡dycio *waethwaeth
Iesu, y hi a ddaeth yn y dyrfa y tu ‡cefyn, ac a gyf- ‡ol
yrddawdd *a*y wisc ef. Can ys hi ddywede*s*ei, A's caf
gyfwrdd a y *wisc*oedd* ef, im iacheir i. Ac yn eb- *ddillad
rwydd y sychawdd ‡ffynnon*ell* y gwaet hi, a' hi a ‡rhediat *wybu
*synniawdd yn hei chorph *dd*arvot *h*iachay o'r *pla ‡wialenot, ffrewyll
honno. Ac yn y man pan wybu r' Iesu yn *d*aw ehun *rhinvedd
vyned *nerth o honaw allan, ef a droes o yamgylch yn ‡ymsang, vyddin
y ‡dyrfa, ac a ddyvot, Pwy a gyfyrdawdd a'm dillat?
A' ei ddiscipulon a ddywedesont wrthaw, ti wely y
dyrfa yn dy wascy, ac a ddywedy *d*i, Pwy a gyfyrdd-
awdd a mi? Ac ef a edrychawdd o yamgylch, y weled
hon a wnaethesei hyn. A'r wreic gan ofny a' chryny:
can ys-hi a wyddiat beth a wnathesit ynthei, a ddaeth
ac a gwympodd geyr y vron ef ac a ddyvot iddo yr oll
wirionedd. Ac ef a ddyvot wrthi, *Ha* verch, dy ffydd
ath iachoadd ‡cerdda yn tangneddyf, a' bydd iach *oth ‡da y delych *ywrth
pla.) Ac ef etwa yn ymaddrodd, y deuth *rei* y wrth
*duy 'r pennaeth y Sinagog gan ddywedyt, E vu varw ‡volesty

dy verch: pa ‡aflomydy a wnai *di* mwy ar *y Dyscodr
‡Er cynted y clypu 'r Iesu adrodd y gair hwnw, y
dyvot ef wrth bennaeth y synagog, Na*d* ofna: cred yn
vnic. Ac ny adodd ef ynep yw ei ddilyn, amyn i Petr
ac Iaco, ac Ioan brawt Iaco. Yno y daeth ef i duy
*pennaeth y Synagog, ac y gwelawdd y twrwf, a'r ei
oedd yn wylo, ac yn ‡ochain yn vawr. Ac ef aeth y
mywn, ac a ddyvot wrthynt, Pa dyrfu, ac wylo ydd
ych? ny bu varw yr *dyn-bach, ‡amyn hunaw y mae.
Ac wy a y gwatworent ef: ac ef y *rhoes wy oll y
maes, ac a gymerth dad, a' mam ‡y dyn-bach, a'r ei
oedd y gyd ac ef, ac aeth y mywn lle *dd*oedd yr ‡enaeth
yn gorwedd, a 'chan ymavlyd yn llaw yr enaeth, y
dyvot wrthei, Talitha cumi, yr hyn yw oei ddeongyl,
Yr *enaeth (wrthyt' y dywedaf) cyvot. Ac yn eb-
rwydd y cyfodes yr enaeth, ac y rhodiawdd: canys dau-
ddec blwydd *oed* ytoedd hi. A' ‡braw anveidrawl aeth
ynddynt. Ac ef a 'orchymynawdd yddwynt yn gaeth
na chae neb*un* wybot hyny, ac a ddyvot am roi bwyt
iddi.

Pen. vj.

Pawedd yd erbynir Christ a'r eiddo yn ei wlad y un. Commission
ac awdurdod yr Ebestyl. Amravel varn am Christ. Lladd Ioan,
a'ei gladdy. Christ yn rhoi gorphwysfa yw ddisciplion. Y pemp
torth bara a'r ddau pyscodyn. Christ yn gorymddaith ar y dwr.
Ef yn iachay llawer.

A C ef aeth ymaith o *dd*yno, ac a ddeuth yw wlad
yhun, a' ei ddiscipulon ei *canlynesont. A'
gwedy dyvot y Sabbath, y dechreawdd ef *ei* dyscy yn
y Synagog, a' ‡brawychy a wnaeth l'awer a'r y clyw-
sent ef, gan ddywedyt, O b'le *y cafas* hwn y pethae
hynn? a' pha*ra* ddoethinep yw *hyn a roed iddaw, can
ys gwnair cyfryw ‡nerthoedd trwy y ddwylo ef?
Any*d* hwn yw'r saer map Mair, brawd Iaco, ac Ioses
ac Iudas a' Simon? ac any*d* yw *y* chwiorydd ef gyd a
*ny*ni? Ac wy rwystrit ynthaw *ef.* Yno y dyvot yr
Iesu wrthynt, Nyd *yw Prophwyt yn ddianrydedd
any'd yn ei wlad y un, ac ym-plith y genedl y vn, ac
yn y duy *h*un. Ac ny allei ef yno wneythy 'r *neb*
vn ‡nerth yn amyn gesot ei ddwylo ar y chydic gleifion
a' *ei h*iachay. Ac ef a ryveddawdd *am y ancredin-

* yr athro
‡ Cy

* Reolwr
‡ irad

* vachcenes
‡ ond cyscu
* bwriodd
‡ yr lodes,
  grynfastes

* vorwyn

‡ irdang,
  sannedigaeth

* dy-

‡ sanny

* hon, hwn
‡ wyrthiae

* bydd

‡ miragl, rhin-
  wedd
* erwydd, o
  bleit, achos

iaeth wy, ac ef a gylchynawdd y trefi o ‡bop-parth,   ‡ gwmpas
gan *ey* dyscu.

Ac ef a alwodd y dauddec *atavv*, ac a ddechreuawdd   * veddiant allu
y *d*anvon wy *bob* ddau a' dau, ac a roddes yddwynt
*auturtot yn erbyn ysprytion aflan, ac a 'orchymyn-   ‡ gosymddaith,
awdd yddwynt, na chymerent dim ‡y'w *h*ymddeith   taith, siwrnai,
amyn ffon yn vnic: na'c y screpan, na bara, nac *efydd   * arian yn i
yn ei gwregysae. Any*d* yhescicidiay hwy a' ‡sandalae,   pyrse
ac na wiscent dwy ‡bais. Ac ef a ddyvot wrthynt,   ‡ ryw escidiae
Ymp'le bynac ydd eloch y mywn i duy, yno*vv* ydd   * siacked
aroswch y 'n yd eloch o *dd*yno*vv*. A' pha'r ei bynac   * gwrandawant
ny 'ch *d*erbyniant, ac ny' ch *clywant, pan eloch i
ffordd o *dd*yno, escutwch y llwch ysy dan eich traed   ‡ er
‡yn testiolaeth yddwynt. Yn wir y dywedaf y chwi,
y bydd esmwythach i Sodoma ai Gomorrha yn -*d*ydd   * varn
*brawd, nac i'r dinas hono.

Ac wy aethan ymaith ac a procethesant, ar wella*y* o
*dd*ynion ei buchedd. A' llawer o gythraelieit a vwrias-   ‡ eliesont, ang-
ant wy allan: ac wy a ‡eneiniesant ac oleo lawer o   enesant, ir-
gleifion, ac ei *h*iachesont.   esant

Yno y clypu 'r Brenhin Herod *am danavv* (can ys   * cyhoedd
eglaer oedd y enw ef) ac y dyvot, Ioan Vatyddiwr   honeid
a g*y*fodes o' veirw, ac am hyny y gweithredir *nerth-   * gwyrthie
oedd trwy *dd*aw *ef*. Ereill a ddywedesont, *mai* Elias
*y*t*y*w: ac ereill a ddywedesont, *mai* Prophwyt yw, ai
vegis vn o'r Prophwyti. A' phan glypu Herod, y   ‡ laddeis
dyvot, Hwn yw Ioan yr hwn a ‡dorreis i ei ben: ef e   * godwyt
a *godes o veirw. Can ys Herod y *h*un a *dd*anvonesei
genadon, ac a dyaliesei Ioan, ac ei rhwymesei ef yn-
carchar o bleit Herodias, *yr hon oedd* 'wraic Philip
y vrawd ef, can iddo y phriody hi. Can ys Ioan a   ‡ vot i ti, gadw
ddywedesei wrth Herod, Nyd cyfreithlon ‡y ti gael
gwraic dy vrawt. Am hyny ydd oedd Herodias yn
dal*h*a *gvvg* iddo, ac yn chwenychy y ladd ef, ac ny's
gallei. Can ys Herod a ofnei Ioan, o bleit iddo wybot
y *vot* ef yn 'wr cyfiawn, ac yn *sanct, ac y parchei ef,   * ddwywol
ac wrth y glywet ef, y gwnai *ef* lawer *o pethe*, ac ei
gwrandawei yn ‡ewyllysgar. A' phan oedd yr amser   ‡ llawen
yn ‡tem*p*oraidd, a' Herod ar ei ddydd geni*d*ige*th* yn   * luyddwyr
gwneythy*r* gwledd y'w bendeuigion a' ei ‡gaptenieit a'   ‡ dains
goreugwyr Galilaea: a' gwedy y verch yr vn*r*y*vv* He-
rodias ddyvot y mewn a *dawnsio, a' ‡bod*d*loni Herod   ‡ boddhay

* vachcenes
‡ genyf

* man, ar
  ffrwst
‡ yn diwyd

* bot

* wrth y bwrdd
* gwrthot,
  throsgwyddo,
  phallu,
‡ dorodd
* vachcenes

‡ yddy
* gelain

‡ mewn bedd

* bop peth
‡ dangosesent

‡ encyd, wers
* enhyt, arvod
* yn ohanrhed-
  awl
‡ diffaith

* ynawr

‡ ganthyn

a'r ei oedd yn cyddeistedd wrth y vort, y dyvot y
Brenhin wrth y *vorwyn*nic*, Arch y ‡mi beth bynac
a vynnych, a' mi ei rhoddaf yty. Ac ef a dyngawdd
iddi, Beth bynac a erchych i mi, *mi* ei rhoddaf yty, *pe
h*yd haner vy-teyrnas. Ac yhi aeth allan, ac a ddyvot
wrth ei mam, Peth a archaf? Hithe a ddyvot, Pen
Ioan Vatiddiwr. Yno y daeth hi yn y *lle ‡mewn
awydd at y Brenhin, ac a archawdd, gan ddywedyt,
Wyllyswn roddy o hanot i mi *sef* yr awrhon mewn
descyl ben Ioan Vatyddiwr. Yno *myned o'r Brenhin
yn athrist: *eto* er mwyn y llw, ac *er mvvyn* yr ei oedd
yn cyd eistedd ‡ar y vort, ny mynnodd ef y *gommedd
hi. Ac yn y man yd anvones y Brenhin grogwr, ac
'orchmynawdd ddwyn y ben ef. Ac yntef aeth ac a
‡laddawdd y ben ef yn y carchar, ac a dduc y ben ef
mewn descyl, ac ei roes i'r *vorwyn, a'r vorwyn ei
rhoes ‡y'w mam. A' phan *y* clypu y ddiscipulou ef, y
daethant, ac y cymer*e*sant ei *gorph, ac ei dodesont
‡ym-monwent.

A'r Apostolion ymgynullesont *ynghyd* at yr Iesu, ac
a venegesont iddo *oll, *ac* ar a wnaethent, ac a ‡ddys-
cesent-i-ereill. Ac ef a ddyvot wrthwynt, Dewchwi
ych unain o'r neilltu ir diffeithwch, a' gorphwyswch ‡y
chydig*in*: can ys ydd oedd l'awer yn dyvot ac ac yn
myned: val na chaent *encyd i vwyta. Am hyny
ydd aethant mewn llong *o'r neilltu i le ‡anial. Eithyr
gweled o'r werin wy yn myned ymaith a' bot llawer
yn y adnabot ef, ac yn rhedec ar draet yd yno o'r oll
ddimasoydd, ac y rhacvlaenesont wy *yno*, ac a ymgas-
clasont, ataw. Yno ydd aeth yr Iesu allan, ac a we-
lawdd dyrva vawr, ac a dosturiawdd wrthwynt, can y
bot wy val deuaidd eb yddyn vugail: ac a ddechre-
awdd ddyscy iddyn laweroedd. Ac yr *awrhon pan
ddaroedd llawer o'r dydd, y daeth eu ddiscipulon ataw,
gan ddywedyt, Llyma le diffaith, ac y hi yr owon yn
llawero'r dydd: Gellwng wy ymaith, val y gallon
vyned ir pentrefi a'r trefi o yamgylch, a' phryny ydddyn
vara: can nad oes ‡yddyn ddim y'w vwyta. Yntef a
atepodd ac addyvot wrthwynt, Rowch chwi yddynt
beth y'w vwyta. Ac wy a ddywedesont wrthaw, A
awn ni a' phryny dau-cant ceiniogwerth o vara, a' ei roi
yddyn yw ywyta? Yno y dyvot ef wrthynt, Pa sawl

torth' sy genwch? ewch ac edrychwch. A' phan wy-
buont, y dywedesont, Pemp, a 'dau byscodyn. Ac
ef a 'orchymynawdd yddwynt beri-yddwynt oll eistedd,
yn vyrddeidiae ar y *gwellt glas. Yno ydd eistedd-
esont yn y ‡garvanae, o *vesur* can*t*oedd a'dec a' dau
geiniae. Ac ef a gymerawdd y pemp torth, a'r ddau
pysco*dyn*, ac a edrychawdd y vyny*dd* ir nefo*edd*, ac a
ddiolchawdd, ac a dorawdd y bara, ac a ei rhoes at ei
ddiscipulon, yw *gesot geyr y bron wy, a'r ddau pys-
co*dyn* a ranawdd ef yn y plith wy oll. Velly bwyta o
hanynt a' chael ei ‡gwala. A' hwy gymeresant ddau
ddec bascedeit o'r briw*ion, ac o'r pyscawt. A'r ei a
vwytesynt, oedd yn-cylch pem*p*-mil o wyr. Ac yn y
man y parawdd ef yw ddiscipulon vyn*e*d ir llong, a
'rhacvlaeny trosawdd ir 'lan arall *h*yd Bethsaida, tra
*dd*anvonei ef y *werin ymaith. A' gwedy iddo y
*d*anvon wy ymaith, y tynnodd ef ffwrdd ir mynydd i
weddiaw. A' gwedy y myn*e*d hi yn hwyr, yr oedd y
l'ong yn-cenol y mor, ac yntef ‡y hun ar y tir. Ac ef
ei gwelawdd yn *dra vaelus arnyn wrth rwyfo, (can
vot y gwynt yn wrthwynep yddynt) ac yn-cylch y
bedwared ‡wylfa o'*r* nos, y daeth ef atwynt, yn *gor-
ymddaith ar y mor, ac ef a vynesei vyn*e*d eb y llaw
hwy. A' phan welsant wy ef yn ‡gorymddaith ar y
mor, y tybiesont may *ellyll ytoedd, *ef* ac a 'waeddes-
ant. Can ys wy oll y gwelsont ef, ac a dechrenesont:
an'*d* ar y chwaen yr ‡ymddiddanodd ac wynt, ac y
dyvot wrthint, Cyssiriwch, myvi yw, nac ofnwch. Yno
yr escen*d*odd ef atwynt ir llong, ac y peidiawdd y gwynt,
ac aruthrol dros ben yr aeithei *braw ynthynt y vnain,
a ryveddy a orugant. O bleit nad ystyriesent *yr hyn
a vvnaethesit* ynghylch y tortheu *hyny*, can ddarvot
caledy eu calonae.

A' dyvot trosawdd a wnaethant, a myned i dir Gene-
zaret, a' ‡dyvot ir 'lan. A' gwedy yddyn ddyvot o'r
llong, yn y man ydd adnebuont ef, ac a *gylch*redesant
trwy 'r oll vro hono o y amgylch *ogylch*, ac a ddech-
reysont ddwyn *hwnt ac yma mewn ‡glythae y sawl
oll, oedd yn gleifion, ir lle clywent y vot ef. Ac y b'le
bynac ydd elei ef y mewn i drefi nei ddinasoedd, ai i
bentrefi, wy ddodent ei cleifion yn *yr heolydd, ac ei
gweddient ar gael o hanynt gyhwrdd ys haychen y

*wisc ef. A' chyniuer ‡a ei cyvyrddawdd, a iachawyt.

Pen. vij.

Y discipulon yn bwyta a dwylo eb 'olchi. Tori gorchymyn Dew gan athraweth dyn. Pa beth a haloga ddyn. Am 'wraic o Syrophaenissa. Iachay yr mudan. Y werin y yn moli Christ.

YNO ydd ymgasclawdd y Pharisaieit attaw, a'r ei o'r *Gwyr-llen *ar* a ddaethent o Gaerusalem. A' phan welsant 'r ei o'r discipulon yn bwyta bwyt a dwylo ‡cyffredin (ys ef yw hyny eb *ei g*olchi) yr *achwynesont. (Can ys y Pharisaieit a'r ol' Iuddeon, dyeithr yddynt 'olchy ei dwylo yn ‡'orchestol, ny vwytaant, gan ddal*h*a athraweth yr ‡Henai*f*eit. A' phan *ddelont* o'r *varchnat, o ddyethyr yddyn ymolchy, ny vwytant: a' llawer o bethae eraill ynt, a'r a gymersant *vvy* arnynt ei cadw, *vegis* golchi*adae* ‡cwpanae, ac ysteni, *ac evyddenneu a' ‡byrddae. Yno y govynodd y Pharisaieit a'r Gwyr-llen iddaw, Paam na rodia dy ddiscipulon *di* *h*erwydd athraweth yr Henai*f*ieit, any*d* bwyta bwyt a dwylo eb olchi? Yno ydd atebei ac y dywedei *ynt*ef wrthynt, *Can* ys da y propwytawdd Esaias am dano-chwi ‡hypocritae, vegis ydd escrivenir, Y popl hyn am anrydedda i aei gwefusae, a' ei calon 'sy pell *hwnt o dd*ywrthyf. Ac ouer im anrydeddant i, gan ddyscy yn lle dysc*eidaeth* 'orchynynae dynion. O bleit ydd ych yn rhoi gorchymyn Duw heibio, ac yn cadw athraweth dynion, *vegis* golchi*adae* ysteni a' chwpanae, a' llawer o gyffelyp bethae ydd ych yn ei 'wneythyr. Ac ef a ddyvot wrthynt, *Ys* da *iavvn*, y *gomeddwch chwi 'orchymyn Duw, val y catwoch eich athraweth eich un*ain*. Can ys Moysen a ddyvot, Anrydedda dy dad a'th vam: a' Phwy pynac a velltithia dad nei vam, bid varw ‡o'r varwoleth. A' chwi ddywedwch, A'*s* dywait *vn*dyn wrth dad nei vam, Corban, ys ef yw hyny, Trwy 'r rhodd a *offrymir* genyfi, y daw lles yty, *rhydd vydd ef*. Ac ny *edwch iddo mwy*ach* wneythy'r dim *lles* y'w dad na ei vam, gan ychwi ‡ddirymio gair Duw, can eich athraweth *eich hunain* yr hwn a *'osodesochwi: a' llawer o ryw gyffelyp pethae hyny a wnewch. Yno y galwodd ef yr oll dyrfa ataw, ac a ddyuot wrthynt, Gwrandewch*vvi*

oll arnaf, a' dyellwch. Nid oes dim allan o ddyn, a
ddychon y halogy ef, pan el oei vewn: eithyr y pethae
a ddaw allan o hanaw, yw'r ei a halogant ddyn. A's
oes gan nep glustiae y ‡glywed, clywet. A' phan
ddaeth ef ymywn i duy o y wrth y *werin, y gouynodd
ei ddiscipulon iddo o bleit y ‡parabol. Ac ef a ddyvot
wrthwynt, Velly a y tych chwithe hefyt yn ddiddyall?
A ny wyddoch *pan yw pop peth o _dd_yallan a el o
vewn dyn, na all y halogy ef, can na_d_ yw yn myn_e_d o
vewn ei galon, _yn_ amyn ir bol_y_, ac yn myn_e_d allan i'r
gauduy yr hwn yw carthiat yr oll vwydydd? Yno y
dyuot ef, Y peth a ddaw allan o ddyn, hyny a haloga
ddyn. Can ys y _dd_ymewn '_sef_ o galon dynion y
*deillia meddyliae ‡mall, tori-priodasae, godinebae,
lladd-celain, llatrata, *cupydd_d_ra, ‡scelerdra, dichell,
haerllycrwydd *llygad drwc, cabl-air, balchedd, am-
_p_wyll. Yr oll ysceleroedd hyn a ‡ddon o _dd_ymywn, ac
a halogan ddyn.
    Ac o yno y cyfodes ef, ac ydd aeth i gyffinydd Tyrus
a' Sidon, ac aeth y mewn y duy, ac ny vynesei y neb
gael gwybot: an'd ny allei ef vot yn guddiedic. Can
ys gwreic, yr hon oedd ei *merch-vach ac iddi yspryt
aflan, a glypu _son_ am danaw ac a ddaeth ac a
gwympodd wrth y draed ef (A'r wreic oedd ‡Groec,
a' Sirophenissiat o genedl) a' hi ervyniawdd iddo vwrw
allan y cythrael o hei merch. A'r Iesu a ddyvot
wrthei, Gad yn gyntaf borthi y plant: can nad ‡da
cymeryd bara 'r plant a' ei davly i'r *cynavon. Yno
ydd atepodd hi ac y dyuot wrthaw, Diau, Arglwydd:
eto eisioes e vwyta 'r cynavon y dan y vord o vriwson
y plant. Yno y dyuot ef wrthi, Am yr ymadrodd
hwn dos ymaith: ef aeth y cythrael allan o'th verch.
A' gwedy y dyuot hi adref y'w thuy, hi a gavas y
cythrael gwedy ymadel, a' _ei_ merch yn gorwedd ar y
gwely.
    Ac ef aeth drachefn ymaith o ffiniae Tyrus a' Sidon,
ac a ddaeth yd vor Galilea trwy pervedd cyffiniae y
*Dectref. Ac wy a dducesont attaw vn byddar, ac _ac_
attal dywedyt arnaw, ac a atolygesont iddaw ‡'osot ei
law arno. A' gwedy iddaw ei gymeryt ef or neilltu
allan o'r tyrfa, ef a estennawdd ey vyssedd yn ei glustiae,
ac a boyrawdd, ac a gyfyrddawdd a ei davot ef. Ac

Marginal notes:

‡ wrando,
* gwrandawet
* popul
‡ ddamec

* am

* daw
‡ drwc
* trachwant
‡ enwiredd,
  aflendit
* cenvigen
‡ ddawan

* merchan,
  bachcenes

‡ 'roeges

‡ iawn
* cianot, cw
  nach, cwn
  bychain

‡ ydref

Yr Euangel y
xii. Sul gwedy
Trintot.
* Decapolis

‡ Hipatha

* llinyn
‡ groyw, iawn,
  llawnllythr

* cyhoeddent
‡ Da
* par

ef a edrychawdd ir nef, can vcheneidiaw, ac a ddyvot wrthaw, ‡*Ephphatha* ys ef yw, ymagor. Ac yn y man ydd ymagorawdd ey glustiae, ac ydd ymellyngawdd *rhwym ei davot, ac ef a ddyvot yn ‡eglur. Ac ef a 'orchymynawdd yddwynt, na ddywedynt i nep: an'd pa vwyaf y goharddei yddwynt, mwy o lawer y *manegynt, a' brawychy eb wedd a wnaethant, can ddoedyt ‡Tec y gwnaeth ef pop peth: ir byddair y *gwna ef glywet, ac ir mution ddywedyt.

Pen. viij.

Miracl y saith torth.   Y Pharisaiait yn erchi arwydd.   Surdoes y Pharisaiait.   Y dall yn derbyn ei 'olwc.   Ei adnabot gan ei ddiscipulon.   Ef yn ceryddy Petr.   Ac yn dangos mor angenraid yw bot ymlid a'blinderwch.

Yr Euangel y vij. Sul gwedy Trintot.

‡ gellyngaf
  maddeu af
* ar ei cyth-
  lwnc
‡ ffaintian
* O ble

* yddy
‡ dody

* bendico,

* ddiolch

‡ gellyngawdd
* ar y chwaen

‡ randiroedd
* ymofyn

‡ brovi
* a roes ebwch
‡ drwm

YN y dyddyae hyny, pan oedd tyrva dra-mawr ac eb gantwyut ddim yw vwyta, yr Iesu a 'alwawdd ei ddiscipulon ataw, ac a ddyvot wrthwynt, Ydd wyf yn tosturiaw wrth y tyrfa, can ys yddwynt aros y gyd a mi *er* ys tri-die, ac nid oes Ganthwynt dim yw vwyta. Ac a's ‡anvonaf wy ymaith *eb vwyt y'w teie ehunain, wy ‡loysygant ar y ffordd: can ys yr ei o hanaddynt a ddeuthant o bell. Yno ydd atepawdd ei ddiscipulon iddo, *Pawedd y dychon dyn borthy 'r ei hynn a bara yma yn y diffeith? Ac ef a o vynnawdd yddwynt, Pasawl torth ys ydd genwch? Ac wy a ddywedesont, Saith. Yno y gorchymynawdd ef yr tyrfa eistedd ar y ddaear: ac ef a gymerawdd y saith torth, ac wedy iddo ddiolvvch, eu torawdd, ac *eu* rhoddes *y'w ddiscipulon yw ‡gesot geyr *eu* bron, ac wy *ei* gesodesont geyr bron y popul. Ac ydd oedd ganthwynt ychydic pyscot bychain: ac wedy iddo *vendithiaw, ef archawdd yddwynt hefyd ei gesot geyr eu bron. Ac wy a vwytesont, ac a gawsont digon, ac wy a godesont o'r briwvwyt oedd yn-gweddill, saith basgedeit, (a'r ei vysent yn bwyta, oedd yn-cylch pedeir-mil) ac *velly* ef yd ‡anvonawdd wy ymaith.

Ac *ar hynt ydd aeth ef i long gyd ei ddiscipulon, ac y ddaeth i ‡barthae Dalmanutha. A'r Pharisaiait a ddaethan *allan*, ac a ddechreusont *ymddadle ac ef, gan geisiaw gantaw arwydd o'r nef, a' *chan* ei ‡demptio. Yno yr *vcheneiddiodd ef yn ‡ddwys: yn ei yspryt,

ac y dyuot, Pa geisio arwydd y mae'r genedleeh hon?
Yn wir y dywedaf y chwi, ‡na's rhoddir arwydd ir   ‡ a's
genedlaeth hon.
Ac ef y gadawodd wy, ac aeth i'r llong drachefyn,
ac a dynnodd ymaith dros y dw*f*r.
Ac anghofi*o* a wnaethent gym*e*ryd bara, ac nid oedd
ganthwynt amyn vn dorth yn y llong. Ac ef a orch-
mynawdd yddynt gan ddywedyt, Gwiliwch, ac ym-
ogelwch rac *leven y Pharisaieit, a' rac leven Herod.   * swrdoes
A' resymy a wnaethant wrth ei gylydd, gan ddywedyd,
Hyn 'sy can Nyd oes *ddim* bara genym. A' phan ei
gwybu 'r Iesu, y dyvot wrthwynt, Pa resymy *dd*ych
velly, can na'd oes genwch vara? a ny*d* ych*vv*i yn
‡synniaw etwa, nag yn deall*y*? A ytyw eich calonae   ‡ ystyriaw
eto genwch wedy 'r *argaledu? Oes llygait genwch   * ddallu
ac ny chanvyddwch? ac oes i chwi glustiae, ac ny
chlywch? Ac any ddaw yn eich cof? Pan doreis y
pemp torth ym-plith pem*p*mil, pa sawl bascedeit o
vriwvwyt a ‡godesoch? Dywedesont wrthaw, Dau-   ‡ gymresoch
ddec. A' phan doreis saith ymplith pedeir mil, pa
sawl bascedeit *gvveddi*l*l* o vriwfwyt a godesoch?
Dywedesont wythae, Saith. Yno y dyvot ef wrth-
wynt, P'wedd *yvv* na *ydyellwch? Ac ef a ddaeth   * synniwch
i Bethsaida, ac wy a dducesont ataw ddall, ac a ‡ei   ‡ ddeisyfesant
gweddieson ar iddo y gy*f*wrdd ef. Yno y cymerawdd
ef y dall *erbyn, ei law, ac ei ‡tywysawdd allan o'r   * erwydd
dref, ac a boyrawdd yn ei lygait, ac a *'osodes ei   ‡ arwenws y
ddwylaw arno, ac a ovynaw*dd* iddaw a welei ef ddim.   maes
Ac ef a ‡edrychodd i vyny*dd*, ac a ddyuot, *Mi* welaf   * ddodes
ddynion: can ys gwelaf wy yn *gorymddaith, ‡mal   ‡ dremiodd
petyn breniae. Gwedy hyny, y gesodes ef, ei ddwylo   * rhodio
drachefyn ar y lygait ef, ac y parawdd iddo ‡edrych-   ‡ malphe
drachefn. Ac ef a edverwyt *iddo ei olvvc*, ac ef a
welawdd *bavvp* oll o bell *ac* yn ‡eglaer. Ac ef a ei   * dadedrych
*d*anvonawdd ef a-dref y'w duy, gan ddywedyt, Ac na   ‡ eglur
ddos ir dref, ac na ddywait i nep yn y dref. A'r Iesu
aeth allan, ef a ei ddiscipulon i Caesarea Philippi. Ac
ar y ffordd yr ymovynnawdd ef a ei ddiscipulon, gan
ddywedyt wrthynt, Pwy'*n* medd dynion *y*twy vi? Ac
wy a atebesont, *yr ei a ddvvvait mai* Ioan Vatydiwr:
a'r ei, Elias: a'r ei *mai* vn o'r Propwyti. Ac ef a
ddyvot wrthynt, A' phwy'*n* meddw-chwi *y*twy vi?

* dynn

‡ angenrad

* gwlio, goddi

‡ ddiva,
  ddyvetha
* gair
‡ ddiledlef
* ei geryddy,
  ragy arno

* o ywrthyf
‡ ddyelly,
  ystyry
* bobyl, y
  dyrva

‡ groes

‡ ond, eithyr

* enaid, hoydyl
‡ Neu
* gyngwerth,
  werthyd

‡ gwiliyddio
* hwnw y
  cywilyddia

Yno ydd atepawdd Petr ac y ddyuot wrthaw, Ty*dy* yw'r Christ. Ac ef a 'orchymynawdd yn *gaeth yddynt na vanegent *hyny* i nep am danaw. Yno y dechreawdd ei dyscy y byddei ‡ddir y Vap *y* dyn ddyoddef llawer o *bethæ*, a' ei *argyweddy y gan yr Henaif*ieid*, a *chan* yr Archoffeiriait a'*r* Gwyr-llen, a' ‡*chael* ei ladd, ac o vewn tri dic-yfody *drachefyn*. Ac ef a adrodes y *peth hyny yn ‡'olae. Yno y cym-erth Petr ef *or ailltu*, ac a ddechreodd *roi iddo sen. Yno ydd *ad* ymchoelawdd ef, ac ydd edrychawdd ar ei ddiscipulon, ac yrrhoes-sen i Petr, gan ddywedyt, Tynn *ar v'ol i Satan: can na ‡synny bethae Duw, eithr pethae dynion.

A' gwedy iddo 'alw y *werin attaw gyd aei ddis-cipulon, a' dywedyt wrthynt, Pwy pynac a wyllysa ddyvot ar v'ol i, ymwrthodet ac *ef* yhun, a' chym*er*ed *i vyny* ei ‡groc, a' dylynet vi. Can ys pwy pynac a ewyllysa gadw ei einioes, ei cyll: a phwy pynac a gyll ei *einioes er vy mwyn i a'r Euangel, ef ei ca*i*dw. Can ys pa les i ddyn, er enill yr oll vyt, a 'cholly ei enaid. ‡Ai pa peth a rydd dyn yn *ym*dal dros ei eneit? Can ys pwy pynac a ‡wrido om pleit i, n'am geiriae ym-plith yr 'odinebus a'r bechadurus genedl-aeth hon, o bleit *yntef y ‡gwrida Map *y* dyn hefyt, pan ddel yn-gogoniant ei Dat y gyd a'r Angelion sainc*tus*.

Pen. ix.

Ymrithiat Christ. Bot yn iawn y wrando ef. Bwrw allan yr yspryt mut. Grym gweddi ac vmpryd. Am varwoleth a' chyuodiat Christ. Y ddadl pwy a vyddei vwyaf. Na rwystrer ar rediat yr Euangel. Gohardd camweddae.

* chwaithant
  provant
‡ nes gweled
* mewn, gyd a
  gallu meddiant
‡ llailltu
* dywynodd
‡ vn pannwr

AC ef a ddyvot wrthwynt, Yn wir y dywedaf wrthych, *pan yvv* bot r'ei o'r sawl 'sy yn sefyll yma*n*, a'r ny's *archwayddant o angae ‡yd pan welont. Deyrnas Duw, yn dyvot *yn *ei* nerth. Ac ar *ben* chwe*ch* diernot gwedy y cymerth yr Iesu Petr, ac Iaco ac Ioan, ac aeth a' hwy i vyny*dd* i vonyth vchel or *n*ailltu wrthyn y hun*ain*, ac ef a ‡ymrithiodd geyr y bron wy. A' ei ddillat a *ddysclaeriawdd, *ac oedden* dra channeit val *yr* eiry, mor ganneid na vedr ‡*neb* pannydd ar y ddayar ei gwneythy 'r. Ac a ymddang-

oses yddynt Elias *ef a Moysen, ac ydd oeddent yn   * gyd
‡ymddiddan a'r Iesu. Yno ydd atepodd Petr, ac y   ‡ chwedleua
dyuot wrth yr Iesu, *Rabbi, da yw i ni vot yma*n:*   llavaru
  * Athro
a' gwnawn i ni dri ‡phebyll, vn y ti, ac vn i Voysen, ac   ‡ lluest
vn i Elias. An'd na wyddiat ef beth yr oedd yn ei
ddywedyt: can ddarvot yddyn ddechryyny. Ac ydd
oedd *wybren a'r y gwascodawdd wy, a' llef a ddeuth   * cwmwl rhwn
allan o'r wybren, gan ddywedyt, Hwn yw vy Map
caredic: ‡clywch ef. Ac yn ddysyvyt ydd edrycheson   ‡ gwrandewch
o *dd*amgy*l*ch, ac ny welsont mwy*ach* neb*un*, o ddyeithr
yr Iesu yn vnic y gyd ac wynt. Ac a 'n hwy yn
descen*d i lavvr* o'r mynyth, ef a 'oruchmynnawdd
yddynt, na vynegent i *neb pa *bethe* a welsent any*d*   * vndyn
pan gyvodit Map *y* dyn o veirw *drachefyn.* A' hwy
a gatwesant y ‡peth hwnw wrthyn y hun, gan ymofyn   ‡ chwedl
bavvp a' ei gylydd, pa beth oedd hyny, Cyvodi o veirw
drachefyn? A' gofyn iddo a orugant, can ddywedyt,
Paam y dywait y Gwyr-llen y bydd *dir i Elias   * raid
ddyuot yn gyntaf? Ac ef atepawdd ac a ddyuot wrth-
ynt, Elias yn ddiau a ddaw, yn gyntaf yc a edvryd yr
oll bethae: a' megis ydd escriuenwyt ‡o Vap y dyn,   ‡ am
rhait iddo ddyoddef llaweroedd a *chael* ei *ddiystyry.*   * ddiddymio,
Eithr *ys* dywedaf wrthyth ddarvot i Elias ddyvot (a   bod mewn an-
  vri, ei goddy,
gwneythy*d* o hanwynt iddo'r hyn a vynesont) vegis   sarhay
ydd escriuenwyt am danaw.
   A' phan ddaeth ef at *ei* ddiscipulon, y gwelawdd ef
dyrva vawr o ei h'amgylch, a'r Gwyr-llen yn ym-
ddadlae *ac wynt. Ac yn ebrwydd yr oll popul pan   * yn i herbyn
welsant ef, a *dd*echrenent, ac a redent ataw, ac a   hwy
gyfarchent-well yddo. Yno y gowynawdd ef ir Gwyr-
llen, Pa ymddadle ydd ych yn *eich plith eich hun?
Ac vn or dyrva a atepawdd ac a ddyvot, Athro, *ys*
dygais vy map atat, ac ‡iddo yspryt mut: yr hwn p'le   ‡ ynddo
pynac y cymer ef, a ei *dryllia, ac y ‡bwrw-*yntef-*   * rhwyg
  ‡mal y
ewyn ac y*dd* *yscyrnyga *ei* ddanedd, ac y ‡dihoena: * rhicia
a' dywedais wrth dy ddiscipulon am y vwrw ef y maes,   ‡ curia
ac ny allasant. Yno ydd atepodd ef iddo, ac y dyvot,
A genedlaeth anffyddlon, pa hyd *weithian y byddaf   * bellach
gyd a chwi? pa hyd weithian ich dyoddesaf? Dugwch
ef ata vi. Yno y ducesont ef attaw: ac ‡yn gym-   ‡ er cynted, cy
  gynted
medr *ac* y canvu yr yspryt ef, ey *drylliawdd, ac ef a   * briwodd
gwympodd *yr llavvr* ar y ddaiar, gan ‡ymcreinio, a'   ‡ ymdreiglo

*maly-ewyn. A' govyn a oruc ef y'w dat, ‡Beth 'sy o amser er pan *dd*arvu iddo val hyn? Ac ef a ddyuot, Er yn *vap. A' mynech y tavl ef yn tan, ac i'r dw*f*r yw *gyfer*golli ef: eithyr a'*s* gelly *di* ddim, cymporth ni, a *thosturia wrthym. A'r Iesu a ddyvot wrthaw, A'*s* ‡gelly *di* gredy hyn, pop peth sy ‡possibil i *hvvn* a gredo. Ac yn ddiohir tad y bachcen gan lefain *gyd* a ‡deigrae, a ddyuot, Arglwydd, *Credaf: cymmorth vy ancrediniaeth. Pan welawdd yr Iesu vot y popul yn dyvot-*atavv*-ar ei rhedec, ef a ‡geryddawdd yr yspryt aflan, gan ddywedyt wrthaw, *Tydi* yspryt mut a' byddar, mi a 'orchymynaf yty, *dyre*d* allan o hanaw, ac na ddos mwy*ach* yndaw *ef*. Yno llefain *o'r yspryt*, ac y ‡drylliodd ef yn dost, ac a *dd*aeth allan, ac ydd oedd ef val *vn* marw, *y'n*y ddywedei *lh*awer, *y varw ef. A'r Iesu a gymerth ei law ef, ac ei ‡derchafawdd, ac ef a gyfodes *y vynydd*. A' gwedy y ddyuot ef ir tuy, ei ddiscipulon a 'ovynent iddo yn *ddirgel, Paam na'*s* g*allem ni y vwrw ef allan? Ac ef a ddyvot wrthynt, Y rhyw hwn ny*d* all mewn vn modd ddyvot allan, any*d* ‡gan 'weddi, ac vmpryd.

Ac wy a ymadawsan o *dd*yno, ac aethant trwy Galilaea, ac ny*d* 'wyllesei gael o nep wybot. Can ys dyscawdd ef ei ddiscipulon, a dywedawdd wrthynt, Map y dyn a roddir yn-*d*wylo dynion, ac wy y *lladant ef, a' gwedy y lladder, ef gyvyd *tragefyn* y trydydd dydd. Eithyr ny*d* oedden *vvy* yn deall*y* yr ymadrodd hwnw, ac ofn oedd arnyn ymofyn ac ef. Gwedy hyny y daeth ef i Capernaum: a' phan oedd ef yn tuy, y govynnawdd yddynt, Pa *beth* oedd yr hyn a ymddadleuech yn eich plith eich hunain, rhyd y ffordd? Ac wy a dawson a son: can ys ar hyd y ffordd yr ymddadleynt aei gylydd, pwy'*n* *vyddei* bennaf. Ac ef a eisteddawdd, ac a alwodd y deuddec, ac a ddyvot wrthyn, A'*s* deisyf nep vot yn gyntaf, e gaiff vot yn *ddywethaf oll, ac yn ‡weinidoc *i* pawb oll. Ac ef a gymerth vachcen-yn ac ei gesodes yn y *cyfrwng wy, ac ei ‡cymerawdd yn ei vreichie, ac a ddyvot wrthynt, Pwy pynac a *dd*erbynio yr vn o gyfryw vechcyn*os* yn vy Enw i, a'm *d*erbyn i: a' phwy pynac a'm *d*erbyn i, ny*d* myvi a *dd*erbyn ef, any*d* hwn a'm *d*anvones i.

Yno ydd atepawdd Ioan iddo, gan dywddyt, Athro,

ys gwelsam vn yn bwrw allan gythreilieit *drwy dy   * gan
Enw *di*, yr hwn nyd yw yn eyn dylyn *ni*, a' gohardd-
esam ef, can na ‡ddylyn ef *ny*ni.   A'r Iesu a ddyuot,   ‡ chanlyn
Na 'oherddwch ef *ddim:* can nad oes ‡nep a wna   ‡ vndyn
*wrthiae ‡gan vy Enw i, ac a aill yn hawdd ddywedyt   * viracl
drwc am danaf.   Can ys pwynac ny*d* yw yn eyn erbyn,   ‡ trwy
'sy *trosom.   A' phwy pynac a roddo i chwi ‡gwppan-   * gyd a ni, ar
eit o ddwfr y'w yfet er *mvvyn* vy Enw i, can y chwi vot   ein part
                                            ‡ phiolet
yn *pcrthyn* i Christ, yn wir y dywedaf wrthych, ny   * *deiryd*
chol' ef ei ‡*vvobrvvy.*   A' phwy pynac a *rwystro r'   ‡ gyfloc
                                           * sarhao
vn o'r ei bychain hyn, a gredant yno vi, gwell oedd
iddo yn ‡hytrach pe gesodit maen melin y amgylch ei   ‡ vwy
*vwnwg*l, a ei davly ‡yn y mor.   Can hyny a's dy law   * wddwf
ath rwystra, tor y hi ymaith: gwell yw y-ti vyned y   ‡ i'r
mewn i'r bywyt, yn *efrydd, nac yti a' dwy law vyned   * anavus
iyffern i'r tan ‡an*di*ffoddadwy, lle ny bydd marw y   ‡ ny ddiffoddir
pryf hwy, ac ny ddiffodd y tan *byth.*   Ac a's dy droet   byth
ath rwystra, *tor e ymaith: gwell yw yty vyned yn   * trycha
gloff i'r bywyt, nac ac yti *ddau droet dy davly i   * ddwy
yffern i'r tan andiffoddadwy, lle ny's marw y pryf hwy,
ac ny's dyffydd y tan *byth.*   Ac a's dy lygat ath
rwystr*a*, tynn ef allan: gwell yw i ti vyned i deyrnas
Duw yn vnllygeidioc, nag a' dau lygad genyt, dy
davly i yffern dan, lle ny*d* marw y pryf wy, a'r tan ny
ddiffydd *byth.*   Can ys pop *dyn* a helltir a than: a'
phop aberth a helltir a halen.   Da yw halen: and a's
bydd yr halen yn ddivlas, a' pha beth y tem*p*erir ef?
Bid y chwi halen ynoch eich vnain, a' bid ‡tan   ‡ heddwch
gneddyf genwch *bavvp* wrth ei gylydd.

Pen. x.

Am yscarieth.   Y goludawc yn ymofyn a' Christ.   Gwobr yr ei a
erlidir.   Am veibion Zebedaeus.   Agori llygaid Bartimaeus.

A C ef a gyvodes o yno ac aeth i *ffiniae Iudaia   * dueddae,
rhyd y tu hwnt i Iorddonen, a'r vintai a ‡gyrchodd   barthae
ataw drachefyn, ac val ydd oedd gynefin, ef y dyscai   ‡ dwyscodd
wy drachefyn.   Yno y daeth y Pharisaieit a' gofyn iddo   * arverol, y
a oedd rydd i wr ‡troi ymaith ei wraic, gan *yddyn* ei   gnotaei
demptio ef.   Ac ef atepodd ac a ddyvot wrthynt, Peth   ‡ vaddae, ell-
a 'orchmynawdd Moysen y chwi?   Dywedesont wythe,   wng ddyrry
Moysen a 'oddefawdd *bot* yscriueny *llythyr yscar, a'ei   * llyver ym-
                                                   dawiat

rhoi hi ymaith. Yno ydd atepodd yr Iesu, ac y dyvot wrthynt, Am galedrwydd eich calon *chvvi* ydd escriuenawdd ef y gorchymyn hwn ychwy. And yn-*d*echreu*at* y creaduriacth y gwnaeth Duw hwy gwryw a' benyw.

‡ ymwasc, ys-grolingir

Achos hyn y gad dyn ei dad a' *ei* vam, ac a ‡lyn wrth ei wreic. Ac wy ill dau a vyddant vn *cnawd: y*d* nad ynt mwy*ach yn* ddau 'namyn vn cnawd. Can's yr hyn a *gyssyllta Duw na 'ohanet dyn. Ac yn tuy y

* gwplyso, gymparo, gyda

govynent ei ddiscipulon iddo drachefyn am y peth hwnw. Ac ef a ddyvot wrthynt, Pwy pynac y *dd*yr 'ymaith ei wraic a' *phriody *vn* arall, *ef* y wna 'odineb yn y *h*erbyn hi. Ac a's gwreic y *dd*yr 'ymaith *h*ei gwr, a' ‡phriodi *vn* arall y mae hi gwneithy'r godinep.

* gwreica
‡ gwra

Yno y ducesant *blant-bychain ataw er iddo ei cyhwrdd: a'ei ddiscipulon a ‡geryddent yr ei' a ddaeth*ei* ac wynt. A' phan eu gwelawdd yr Iesu sori a oruc *ef*, a' dywedyt wrthynt, Gedwch i'r *ei* bychain ddyuot ata vi, ac na'w goherddwch: can ys o'r cyfryw y mae teyrnas Duw. Yn wir y dywedaf wrthych, Pwy pynac ny's erbyn*i*a deyrnas Duw, megis bachcenyn, ny*d* a ef y mewn ddim yddi. Ac ef ei braicheidiawdd wy, ac a ‡'osodes *ei* ddwylo arna*dd*ynt, ac a ei bendithiawdd.

* vachcenos
* ys dwrdient
‡ vechcynos
‡ dodes

A' gwedy iddo vyned *allan i'r ffordd, y daeth vn yn rhedec, ac a ‡benliniodd iddo, ac a vynawdd ydda w, Athro da, beth a wnaf i, y gael meddiantu bywyt tragyvythawl? A'r Iesu a ddyvot wrthaw, Paam y gelwy vi yn dda? ny*d* da ‡neb*un* any*d* vn, 'sef Duw. *ti* 'wyddost y gorchmynion, Na *wna odineb. Na ladd *nep*. Na ladrata. Na ffalstestolaytha. Na wna eniwed *i neb*. Anrydodda dy dad a'*th* vam. Yno ydd atepodd ef, ac y dyuot wrthaw, Athro, hyn oll a gedweis o'm ieunctit. A'r Iesu a *e drychawdd arnaw, ac ei carawdd, ac a ddyuot wrthaw, Mae vn peth yn ‡ol iti, Does a' gwerth *cymeint* oll ac y *sy yti, a' *d*yrho i'r tlodion, a' *thi* gai dresawr yn y nef, a ‡debre, *dilyn vi, a ‡chyvot dy groc *ar d'*yscvvydd. A' phruddhau *gan yr ymadrodd hyn a wnaeth ef, a' thynny y maith yn athrist: can vod iddo lawer o ‡veddiantae: A'r Iesu a edrychawdd o ei amgylch, ac a ddyuot wrth ei ddiscipulon, Mor anhawdd yr a y sawl ys y a *golud ar ei helw i *vevvn y* deyrnas Duw. A' *ei* ddiscipulon a

* rracddo
‡ estyngodd
‡ vndyn
* thor brioda,
* dremiodd
‡ eisiae, dde-fficiol
* veddych
‡ dyred
* canlyn
‡ chymer dy groes
* wrth
‡ dda
* chyvoeth yn

‡*dd*echrynesont wrth ei eiriae. A'r Iesu atepawdd ‡ ofnesont gan
dragefyn, ac a ddyuot wrthwynt, *Ha* veibion, mor an-
hawdd yw ir ei a *ymddiriedant yn-goludoedd, vyn'd y   * ymddiresont, drustant mewn cyfoeth
mewn teyrnas Duw. Haws*ach* yw i gamel vyn'd
drwy grau 'r nodwydd, nag i ‡'oludawc vyn'd y mewn   ‡ gyvoethawc
teyrnas Duw. Ac wy*the dd*echrynesont yn-vwy-o-
lawer, gan ddywedyt writhyn ei hunain, *A' phwy a   * Gan hyny, velly pwy all
ddichon vod yn gatwedic? A'r Iesu a edrychodd
arnynt, ac a ddyuot, Gyd a dynion ampossibl *yvv hyn*,
and ny*d* gyd a Duw: can ys pop peth 'sy possibil gyd
a Duw.

  Yno y dechreawdd Petr ddywedyt wrthaw, ‡Nycha,   ‡ Wele, ys gwrthodesam
ys gadawsam ni bop peth, ac ath ddilynesam di. Yr
Iesu a atepodd ac a ddyuot, Yn wir y dywedaf i chwi,
ny*d* oes nep ar *adawodd duy, 'nei vroder, nei chwi-   * wrthodadd
orydd, neu dad, neu vam, neu wreic, neu blant, ne dir-
oedd o'm pleid i a'r Euangel, a'r ny's *d*erbyn ar y   ‡ yn gyn-nyrchiol
canvet yr awrhon ‡y pryd hyn: tai, a' broder, a' chwi-
oredd, a' mamae, a' phlant, a' thiredd y gyd ac erlidiae,   * y byd
ac yn *yr oes a ddaw vuchedd dragyvythawl. Eithr
llawer ar '*sy yn* cyntaf, a vyddant *yn* olaf, a'r ei olaf
yn gyntaf.

  Ac ydd oeddent *vvy* ar y ffordd yn ‡escen*d* i Gaeru-   ‡ dringo, mynd i vyny
salem, a'r Iesu a ai o'i blaen, a' *d*echryny a wnaethant,   * ofny, sanny
ac val ei dilynent, yr ofnesont, a'r Iesu a gymerth y
dauddec drachefyn, ac a ddechreuawdd ddywedyt yddyn
pa pethae a ‡ddelei yddo, *gan ddyvvedyt*, *Nycha, ni   ‡ ddygwyddei
yn escen*d* i Gaerusalem a' Map y dyn a roddir at yr   * Ll'yma
Archoffeirieit, ac at y Gwyr-llen, ac wynt y barnant ef
i angae, ac y rhoddant ef at y Cenetloedd. Ac *vvy* y
gwatworant ef, ac ei yscyrsiant, ac y boyrant *arn*aw,
ac ei lladdant: eithyr y trydydd dydd y cyvyt *ef
drachefyn*.

  Yno y daeth ataw Iaco ac Ioan meibion Zebedaeus,
gan dywedyt, Athro, *ni* 'wyllesem wneythyr o hanot
i ni yr hyn a ddeisyfem. Ac ef a ddyvot wrthynt,
Beth a 'wyllysech i mi y wneuthy*d* y chwi?
Wythe a ddywed*es*ont wrthaw, *Caniata i ni *gael*   * Dod
eistedd vn ar dy ddeheu*lavv*, a'r llall ar dy *lavv* aseu yn
dy 'ogoniant. A'r Iesu a ddynot wrthynt, Ny wyddoch
pa *beth* a erchwch. A ellwch-*vvi* yfed *o'r* ‡cwppa*n* yr   ‡ phiol
yfa vi o *hanavv*, a'ch bedyddio a'r betydd y betyddier

vi? Ac wy dywetsont wrthaw, Gallwn. A'r Iesu a
ddyvot wrthynt, Diau yr yfwch o'r cwppa*n* yr yfa vi *o
honavv*, ac ich betyddijr a'r betydd yn yr hwn im bet-
yddier inef: any*d* eistedd ar vy *llavv* ddeau ac ar vy *llavv*

* eiddof vi, mi
biae, phiae vi

aseu, ny*d* *yw vau *ei* roddy, any*d ei roi a vvnair* ir ei y
paratowyt. A' phan glypu 'r dec *ereill hyny*, y dechreusont

* vot yn salw
ganthynt
‡ daw

*sory wrth Iaco ac Ioan. A'r Iesu y galwodd wy ataw,
ac a ddyvot yddynt, *Chvvi* wyddoch ‡mai yr ei 'sy hoff
ganthynt lywo*draethu* ymplith y Cenedloedd y *har*-
glwyddiaethant wy, a'r sawl 'sy vawrion yn ey plith, a
arverant o awdurtot arn*add*ynt. Eithyr ny*d* velly y
bydd yn eich plith chwi: an'*d* pwy pynac a' wyllysio

* was

vot yn vawr yn eich plith chwi, byddet *wenidoc y
chwy. A' phwy pynac a ewyllisia vot yn benaf o hano-
chwy, byddet was *pavvp* oll. Can ys-a' Map y dyn ny

‡ gwasnaethy
* vywyt
‡ bryniant

ddaeth i gahel ‡gweini iddo, anyd i weini, a' rhoi ei
*einioes yn ‡*brid*werth dros lawer.

* ef
‡ thorf

    Yno yd aethant i *h*Iericho: ac val ydd oedd ef yn
myned allan o *h*Iericho *gyd ai ddiscipulon, a' ‡mintai
vawr, Bartimaeus vap Timaeus *dyn* dall a eisteddai ar
vin y ffordd yn cardota. A' phan glypu mai 'r Iesu o
Nazaret oedd *yno*, ef a ddechreuawdd lefain a' dywedyt,
Iesu vap Dauid trugarha wrthyf. A' llawer y cerydd-
ent ef, er iddo dewi: yntef a lefai yn vwy o lawer, *Ha*
vap Dauid, trugarha wrthyf. Yno gorsefyll o'r Iesu,
a' gorchmyn y 'alw ef: ac wy e alwasant y dall, gan
ddywedyt wrthaw, Cymer gyssyr: cyfod, mae ef yn dy
'alaw. Yno y tavlodd ef ei gochyl ymaith, ac a gyvodes
ac a ddaeth at yr Iesu. A'r Iesu 'atepodd ac a ddyuot
wrthaw, Beth a ewyllysy wneythy*d* o hanof yty? A'r

* *Rabboni*
‡ bot ymi ad-
weled

dall a ddyuot wrthaw, *Arglwydd, ‡cael o hanof vy-
golwc. Yno y dyuot yr Iesu wrthaw, Dos ffwrdd, dy

* cadwodd
‡ dilynwys

ffydd ath *iachaodd, Ac yn y man y cafas ei 'olwc, ac
y ‡canlynodd ef yr Iesu rhyd y ffordd.

Pen. xj.

Christ yn marchogaeth i Caerusalem. Y fficuspren yn dysychy.
Tavlu allan y prynwyr a'r gwerthwyr o'r Templ. Ef yn datcan
rhinwedd, ffydd, a' pha wedd y dlem weddiaw. Y Pharisaiait yn
ymofyn a Christ.

* yr olewwydd

A 'GWEDY yddyn *dd*y nesay i Caerusalem, i Beth-
phage a' Bethania hyd ym mynyth *olivar yd

anvones ef ddau o ei ddiscipulon, ac y dyuot wrthwynt,
Ewch ymaith i'r dref 'sy ‡ar eich cyfor, a' *chy cynted
y deloch *ymevvn* yddi, *chvvi* gewch ebol wedy i rwymo,
ar *ucha* rhwn nyd eisteddawdd ‡vn-dyn *erioed:* gell-
yngwch ef a' dugwch. Ac a dywait neb*un* wrthich,
Paam y gwnewch*vvi* hyn? Dywedwch vod *yn rhaid
i'r Arglwydd wrthaw, ac eb 'oludd ef ei denfyn *yd* yma.
Ac *vvy* aethant ymaith ac a gawsont ebawl yn rhwym
wrth y drws o*dd*yallan, mewn ‡cysswllt dwyffordd a' ei
*dd*illwng a wnaethant. A'r ei o'r sawl a sefynt yno,
a ddywedent wrthynt, Beth a wnechwi yn gillwng yr
ebawl? Wythe a ddywetsont wrthynt, val y gorchmyn-
esei'r Iesu yddynt. Yno y gadawsont yddyn vynd
ymaith.

Ac *vvy* dducsont yr ebol at yr Iesu, ac a vwriasont
ei dillat arnaw, ac ef a eisteddawdd *arno. A' llawer-
oedd a danasont ei dillat rhyd y ffordd: ‡trychu o ereill
gangae o'r preniae a' ei *tanu ar y ffordd. A'r ei a
oedd yn myn'd o'r blaen, ar ei oedd yn canlyn, a lefent,
gan ddywedyt, ‡*Hosanna:* bendigedic *vo* 'r hwn *sy'n
dyvot yn Enw yr Arglwydd, bendigedic *vo* 'r deyrnas
‡y-s y yn dyvot yn Enw Arglwydd ein tad Dauid:
Hosanna *'rhvvn vvyt yn y nefoedd* vchaf. Yno ydd
aeth yr Iesu y mewn y Gaerusalem, ac ir Tem*p*l: a'
gwedy iddo edrych o yamgylch ar pop peth, a' hithe yr
owrhon wedy mynd yn hwyr, ef aeth allan *yd* Beth-
ania *y gyd a'r dauddec. A' thranoeth wedy ey dyvot
wy allan o Bethania, yr oedd arno ‡newyn. Ac wrth
'weled fficuspren o bell, *ac iddo ddail, ef aeth *y edrych*
a gaffei ddim arnaw: a' phan ddeuth ataw, ny chafas
ef ddim *yn* amyn dail: can nad oedd hi amser *bot* fficus
eto. Yno ydd atepodd yr Iesu ac y dyuot wrthaw, Na
vwytaed nep ffrwyth o hanat mwy*ach* *yn tragyvyth:
a' ei ddiscipulon ei clybu.

A' hwy a ddaethant i Caerusalem, a'r Iesu aeth ir
Templ, ac a ddechreuawdd davly allan yr ei oeddynt
yn gwerthy ac yn prynu yn y Templ, ac a *dd*ymchwel-
awdd i lawr ‡vyrddae yr ariam-newidwyr a' *chadeiriae
yr ei oedd yn gwerthy colombenot. Ac ny adawei ef
y neb ddwyn llestr drwy 'r Tem*p*l. Ac *ef ei* dyscawdd,
gan ddywedyt wrthynt, A ny*d* escrivenwyt, Y tuy
meu*vi,* tuy 'r gwedd*io* y gelwir i'r oll Genetloedd? a'

‡ gyferbyn a chwi
* ac er
‡ neb

* ei eisie ar yr Arglwydd

‡ trofa, cyffin-ydd, gohanfa, ebach &c.

* ar ei uchaf
‡ tori

‡ Iachaa, cadw, ymwrred atolwc
* addaw

* cf
‡ chwant bwyt
* a dail arno

* rhac llaw

‡ vorde
* eisteddleoedd

chwi*theu* ei gwnaethoch yn 'ogof llatron. Ac *ei* clybu
'r Gwyr-llen, a'r Archoffeirieit, ac a geisiesont po'dd y
‡collent ef: can ys ofnent ef, o bleit bot yr oll dyrva
yn *aruthro gan ei athraweth ef. A' gwedy y hwyr-
hau hi, ydd aeth *yr Iesu* allan o'r dinas.

A'r borae ac wynt yn *mynd-heibio, y gwelsant y
ffycuspren wedy ‡gwywo o'r gwraidd. Yno yr *at-*
gofiawdd Petr, ac y dyuot wrthaw, *Rabbi, ‡nycha'r
fficuspren a *velltithiaist, wedy gwywo. A'r Iesu a
atepawdd, ac a ddyuot wrthynt. Bid eich ffydd ‡*ar*
Dduw. Can ys yn wir y dywedaf y chwi, mai pwy
pynac a ddyweto wrth y mynyth hwn, *Ymgymer
ymaith a' bwrw dy hun i'r mor, ac na ‡amheuet yn ei
galon, any*d* credy y *dervydd y pethe hyny a ddyuot
ef, beth bynac ar a ddywait, a vydd yddaw. Erwydd
paam y dywedaf wrthych, Bethae bynac ar a archoch
wrth weddiaw, credwch y*d* erbyniwch, ac e vydd
‡*parot* y chwi. And pan safoch, a' gweddiaw, madd-
euwch, a's bydd genych ddim yn erbyn neb, val y bo
'ich Tad yr hwn sy yn y nefoedd vaddae i chwi*theu* eich
*cam-weddae. O bleit a ny vaddeuw-chwi, ach Tat yr
hwn '*sy* yn y nefoedd, ny vaddae i chwi*the* eich cam-
weddae.

Yno y daethant drachefyn i Caerusalem: a' mal y
rhodiei ef yn y Templ, y dauai ataw yr Archoffeirieit,
a'r Gwyr-llen, a'r ‡Henyddion, ac y dywedynt
wrthaw, Wrth pa awdurtat y gwnai *di y pethe* hyn?
a' phwy roes y ti yr auturtat hon, *y'n y wnayti y
pethae hyn? A'r Iesu a atepawdd ac a ddyuot
wrthynt, Minef a ovynaf vn-peth i chwi*the*, ac atepwch
vi, a' dywedaf ywch' wrth pa awdurtot y gwnaf y
pethae hyn. Betydd Ioan, ai o'r nef ydd oedd, ai o
ddynion? atepwch vi. Ac wy a veddyliesont ynthyn
ehunain, gan ddywedyt, A's dywedwn O'r nef, ef a
ddywait, Paam gan hyny na chredech *ef? Eithyr a's
dywedwn, O ddynion, y mae arnam ofn y bopul: can
ys *pavvp* oll a gymerent Ioan yn wir Prophwyt. Yno
ydd atepesant, ac y dywedesant wrth yr Iesu, Ny
wyddam *ni*. A'r Iesu atepawdd, ac a ddyuot wrth-
ynt, Ac ny ddywedaf vi*nef* y chwi wrth pa awdurtat
y gwnaf y pethae hyn.

Pen. xij.

Lloci 'r winllan. Bot vvyddtawt a' theyrnget yn ddyledus i
deyrnedd a' thwysogion. Cyuodedigaeth y meirw. Swmp a'
chrynodab y *Ddeddyf. Christ yn vap Dauid. Bot raid   * *Gyfraith*
gochelyt yr ei gau sanctaidd. Offrwm y weddw dlawd.

AC ef a ddechreawdd *ymadrawdd wrthynt ym-   * ddywedyt
parabolae, *gan ddyvvedyt, Yr oedd* gwr a blannai
winllan, ac a ei hamgylchynawdd a chae, ac a gloddi-
iawdd bwll y *dd*erbyn *y* gwin ac a adeiliawdd dwr *ynddi,*
ac ei llocawdd hi i ‡dir-ddiwylliawdwyr, ac aeth ymhel'   ‡ lavurwyr
o y gartref. Ac ar *dymor, y *d*anvones ef was at y tir-   * amser
ddiwylliawdwyr, val yd erbyniei ef y gan y tir-ddiwyll-   cyfaddas
iawdwyr o ffrwyth y winllan. Ac wy a ei ‡cymersont   ‡ daliesont
ef, ac ei *bayddesont, ac ei *d*anvonesont ymaith yn   * ei siewedic,
‡wac. A' thrachefyn yd anuones atynt was arall, a   eb ddim ganto
'hwnw a davlasant a' main, ac a *vriwesont ei ben, ac   * glwyfesont
ei *d*anvonesont ymaith wedy ei am*p*erchi. A' thra-
chefyn yd anuones ef *vn* arall, a hwnw a laddesont, a   * curo, ffusto
llawer ereill, gan *vayddy 'rei, a' lladd 'rhei. Ac eto
ydd oedd iddo vn map, ei garedic: a' hwnw a' *dd*an-
vonawdd ef atynt yn ddywethaf, gan ddywedyt, *VVy*
barchant vy map. And y tir-ddiwylliawdwyr hynny a
ddywedent yn ei plith ehunain, ‡Hwn yw'r etiuedd: ‡ Llyma'r aer
dewch, lladdwn ef, a'r etiueddiaeth vydd *y ni. Yno y   * einom, ei-
cymersont ef, ac ei lladdesont, ac ei bwriesont y maes   ddom
o'r winllan. Pa peth gan hyny a wna Arglwydd y
winllan? E ddaw ac a ddiuetha 'r tir-ddiwylliawdwyr   ‡ gyll, ddin-
hyn, ac a rydd y winllan y ereill. Ac any ddarllenesoch   istr
hyn o Scrythur? Y maen yr hwn a wrthodent yr a
deiladwyr, *ys* hwnw a wnaed yn ben congyl. Hyn a
wnaethpwyt y gan yr Arglwydd, a 'rhyvedd yw yn ein
*llygait. Yno yr oeddent mewn awydd y'w ddal*ha* ef,   * golwc
and bot arnyn ofn y bopul: can ys dyellent mai yn y
herbyn wy y dywedesei y *parabol hwnw: am hyny y   ‡ ddamec hono
gadawsont ef, ac ydd aethan i ffordd.

Ac wy *dd*anvonesont ataw 'r ei o'r Pharisaieit, ac
o'r Herodieit ‡yny ddalient ef yn *ei* ymadrodd. Ac   ‡ val y mag-
wyn*teu* pan daethant, a ddywedsant wrthaw, Athro, *ys*   lent
gwyddam *mai ‡cywir wyt, ac na *ovely *am* neb*un,*   * taw
ac ny*d* edrychy ar wyneb*vverrh* dynion, amyn yn-   ‡ gairwi
gwirionedd y dyscy *yn*' ffordd Dduw, Ai ‡cyfreith-   * ddarbodi
lawn rho*ddi* teyrnget i Caisar, ai ny*d yvv? A* ddlem   ddori, gwaeth
                                                          genyt
                                                        ‡ iawn

ni ei ro*dd*i, ai ny ddlem *ei* ro*dd*i? And ef a wyddiat
ei *dichell wy, ac a ddyuot wrthynt, Paam y tempt-
iwch vi? Dygwch i mi geinioc, val y gwelwyf *y peth.*
Ac wy *ei* duc*e*sont, ac ef a ddyuot wrthynt, ‡I bwy
mae'r ddelw hon a'r *argraph? wythe a ddywetsont
wrthaw, I Caisar. Yno ydd atepodd yr Iesu ac y
dyuot wrthynt, Rowch i Caisar yr ‡iddo Caisar, ac i
Dduw *yr eiddo Duw: a' rhyueddy a wnaethant
‡wrthaw.

Yno y daeth y Sadducaieit ataw, (yr ei a ddyweit
nad oes cyfodedigaeth) ac a 'ovynesont iddo, gan
ddywedyt, Athro, Moysen a yscrivenodd y ni, A's
bydd marw brawdd vn, a' gady *ei* wreic, ac eb ady
plant, mai ei vrawdd a ddyly gymeryd ei wraic, a'
chyuodi had ‡y'w vrawd. Ydd oedd saith broder a'r
cyntaf a gymerth wreic, a' phan vu ef varw, ny
adawdd *ef* *had. Ar ail y cymerth hi, ac e vu varw, ac
ny's gadawdd yntef *chvvaith ddim* had, a'r trydydd yr vn
ffynyt. Felly 'r saith y ‡cymersant hi, ac ny adawsant
ddim *had: yn ddywethaf oll marw o'r wreic hefyt.
Yn y ‡cyfodedigaeth gan hyny, pan *ad*gyuodant,
gwraic y bwy *'n* o *naddynt vydd hi? can ys per-
chenogodd y saith y hi yn wraic? Yno 'dd atepawdd
yr Iesu ac y dyuot wrthynt, Any*d* am hyny ydd ych
yn myn*d* ar ‡gyfeilorn, can na wyddoch yr Scrythurae,
na meddiant Duw. Can ys pan *ad*gyyodant o veirw,
ny wreicaant, ac ny 'wrant, anyd *bot val *yr* Angelion
y sy yn y nefoedd. Ac am y meirw, y ‡cyvodir wy
drachefn, an y ddarll*e*nesoch*vv*i yn llyuer Moysen,
po'dd yn y *merin*llwyn y llavarawdd Duw wrthaw,
gan ddywedyt, Mi *yvv* Duw Abraham, a' Duw Isaac,
a' Duw Iaco*b?* Ny*d* yw ef Dduw y meirw, eithyr
Duw y bywion: Chwychwi gan hyny ‡'sy yn mynd
ym*p*ell ar gyfeilorn.

Yno y daeth vn o'r Gwyr-llen y clywsei wy yn ym-
ddadlae, a' chan wybot *ddarvot* iddo ei hatep yn dda,
y gofynawdd yddaw, Pwy *'n* yw'r gorchymyn cyntaf
oll? Yr Iesu ei atepawdd, Y cyntaf o'r oll 'ochmyn-
ion *yvv,* Clyw Israel, Yr Arglwydd ein Duw, yw'r
Arglwydd vnic. *Cery am hyny yr Arglwydd dy
Dduw ‡oth oll galon, ac oth oll enait, ac oth oll
veddwl, ac ath oll nerth: hwn yw'r gorchymyn cyntaf.

Marginal notes:

* hypocrisi, truth, trofa,

‡ Pwy biae
* yscrifen

‡ ysy i
* ysy i dduw
‡ racddo

‡ yddy

* hil, epil

* cawsant
‡ adgyfodiat
* hanynt

‡ ddidro, twyll-wyd, siomwyt

* y maent
‡ cyfodent

* dryslwyn, berth

‡ a dwyllir yn vawr

* Car
‡ ath

Ar ail *ysy* gyffelyp, ys ef, Cery dy gymydawc val dyun.
Ni*d* oes 'orchymyn arall mwy na 'r ei hyn. Yno y
dyuot y Gwyr-llen wrthaw, Da, Arglwydd, *ys* dy-
wedeist y gwir*ionedd*, mai vn Duw 'sy, ac na*d* oes
*arall ‡amyn ef. A' ei gary ef a'r oll galon, ac a'r   * vn, nebun
oll ddyall, ac a'r oll enait, ac ar oll nerth, a' chary *ei*   ‡ eithyr, eb ei law
gymydawc mal y un, 'sy vwy nag oll boeth-offrymae
ac aberthae. Yno yr Iesu yn ei weled ef yn atep
yn *ddisseml, a ddyvot wrthaw, Ny*d* wyt yn e pell   * arhen
ywrth teyrnas Duw. Ac ny veiddiawdd nep ‡mwy*ach*   ‡ yn ol hynny
ymovyn ac ef.

A'r Iesu a *atepawdd ac a ddyuot gan *ei* dyscy yn   * ymadrodd-odd
y Templ, Pavodd y dywait y Gwyr-llen *pan yvv* bot
Christ yn vap *i* D*d*auid? Can ys Dauid y un a ddyuot
trwy'r yspryt, glan, Dyuot yr Arglwydd wrth vy Ar-
glwydd i, Eistedd ar vym*d*eheu*lavv i*, yd pan ‡'osotwyf   ‡ wnelwyf
dy elynion yn droedfainc yty. Can vot Dauid y hun
yn y 'alw ef yn Arglwydd: a' pha wedd y mae *ynt*ef
yn vap iddaw? a' llawer o bopul y *clypu ef yn   * gwrandaw-odd
‡ewyllysgar. Hefyd *ef* a ddyuot wrthynt *yn y   ‡ awyddus, llawen
ddysc*eidaeth* ef, Y mogelwch rac y Gwyr-llen yr ei a
garant vyn*ed* mewn ‡gwiscoedd llaesion a' *chael* cy-   * val y dyscei wynt
farch-gwell *yddyn* yn y marchnatoedd, a'r eisteddfa*ë*   ‡ stolae
penaf yn y Synagogae, a'r eisteddleoedd cyntaf yn-
gwleddoedd, yr ei a lwyr *ysant dai*ae gvvragedd*-   * ddivant
gweddwon, ac ‡yn rhith hirweddiaw. Yr ei hyn a   ‡ o liw
*dd*erbyniant varn*edigaeth* vwy. Ac mal ydd oedd yr   ‡ val
Iesu yn eistedd gyferbyn ar tresorva, yr edrychawdd   * alcan, efydd, bath, monei
‡po'dd y bwriei y bopul *arian ir dresorfa, a' ‡golud-   ‡ chyuoethog-ion
ogion lawer a vwrient lawer y mewn. Ac e ddaeth
ryw *vvreic* weddw dlawt, ac a vwriodd y mywn ddau
*vitym, ys ef yw hatlin*g*. Yno y galwodd ataw ei   * vinutyn
ddyscipulon, ac y dyuot wrthynt, Yn wir y dywedaf y
chwi, ‡vwrw o'r *vvraic*-weddw dlawt hon vwy ymewn,   ‡ ddodi
na'r oll 'rei a vwriesont i'r tresorfa. Can ys yntwy
oll a vwriesont y mewn o'r hyn sy *yn-gweddill gan-   * ormodd iddynt
thynt: a' hi*theu* o hei ‡thlodi a vwriodd y mewn   ‡ phrinder
gymeint oll ac *oedd iddi, *ysef* i holl vywyt *hi*.   * a veddei

Pen. xiij.

Distrywiad Caersalem. Bot precethy 'r Euangel i bawp oll Am yr
   ymlid, a'r gau brophwyti a vyddant cyn na dyuodiat Christ, yr

hwn nyd espes 'moi ei awr. Ef yn anoc pawp y vot yn
wiliadurus.

AC val ydd ai ef allan o'r Templ, y *'syganei vn o
ei ddiscipulon wrthaw, Athro, gwyl pa ‡ryw vain
a' pha ryw adeiladoedd *ysy yma.* Yno ydd atepodd yr
Iesu ac y dyuot wrthaw, A wely *di* yr adeiliadoedd
mawrion hyn? ny's gedir *maen ar vaen, ar ny's
goyscerir. A' mal ydd eisteddei ef ar vynyth ‡olivar
gyfeiryd ar Temp*l*, Petr, ac Iaco, ac Ioan, ac Andreas
a ovynesont yddo yn ddirgel, Dywait i ni pa bryd y
bydd y pethae hyn? a' pha 'r *arwydd *vydd* pan
gyflawner y pethae hyn oll? A'r Iesu a atepodd
yddynt, ac ddechreuodd ddywedyt, Ymogelwch rac
‡twyllo o nep *chvvy*chwi. Can ys llawer a ddawant
yn vy Enw i, can ddywedyt, Mi yw *Christ*, ac a' twyll-
ant lawer. Hefyd pan glywoch *son* am ryveloedd a'
*darogan Ryueloedd, na'ch tralloder *chvvi:* ‡can ys
dir yw bot *cyfryw bethae:* eithyr ny *bydd* y *tervyn
etwa. Can ys cenetl a gyvyt yn erbyn cenetl, a'
theyrnas yn erbyn teyrnas, ac e vydd daiar gryniadae
mewn amryw leoedd, ac e vydd newynae a' thrallodae:
hyn vyddant ddechreuoedd y ‡govidiae. Anid edrych-
wch arnoch eich hun: can ys wy ach rhoddant **ir**
Seneddae, ac i'r Synogogae: ych bayddy a wneir, a'ch
dwyn geyr bron ‡llywyawdwyr a' Brenhinedd om pleit
i, er testiolaeth yddynt. A'r Euangel a vydd *dir yn
gyntaf hi ‡phrecethy ymplith yr oll genetloedd. Eithyr
pan vont ich *arwein ac ich ‡ethrod, na rag *ovelwch,
ac na rac vefyriwch pa *beth* a ddywetoch: eithyr pa
beth pynac a rodder y chwy yn ‡y pryd hwnw, hynny
ymadroddwch: can ys ny*d* chwi ys y yn ymadrodd,
any*d* yr Yspryt glan. Ac e ddyry y brawd y brawd i
varwoleth, a'r tad y map, a'r plant a gyvodant yn
erbyn y *rhieni, ac ei marwolaethant wy. A' dygasoc
vyddwch gan bawp er mwyn vy Enw i: an*d* pwy
pynac a baraho yd y dywedd, *efe vydd catwedic.
Hefyd pan weloch y *ffiaidd ddiffeithwch) ry ddywet-
pwyt o hanaw gan Ddaniel y Prophwyt) yn ‡bot lle ny
ddyly, (a'*i* darllen, dyalled) yno yr ei a *vont*yn Iudaia,
*ciliant i'r mynydde*dd.* A hwn *a vo* ar *ben* y tuy:
naddescen*det* i'r tuy, ac nag aed ymewn ‡y gyrchy dim
allan o ei duy. A' hwn *a vo yn y maes, na *dd*adym-

chweled tra i gefyn at y pethae a adawodd ar i ol, y ‡ dal
gym'ryd ei ddillat. Yno gwae 'r ei beichiogion, ar ei * ffo
vont yn ‡rhoi bronae yn y dyddiae hynny. Gweddwch ‡ drallot, gyni,
gan hyny na bo eich *cilio yn y gayaf. Can ys bydd   ymbenbeth
yn y dyddiae hyyn *gyfryvv* ‡'orthrymder ac na bu o * dalvyrry, ad-
ddechrae 'r creadurieth a greawdd Duw yd y pryd hyn, ‡ dyn
ac ny bydd. Ac o ddyeithr vesei i Dduw *vyrhay 'r
dyddiae hyny, ny chadwesit vn ‡cnawd: and er mwyn
yr etholedigion yr ei a *dd*etholes ef,', y byrhaodd ef y
dyddiae hyny. Ac yno a's dywait nep y chwi, *Nycha * Wele
ll'yma Christ, ai, nycha, ‡ll'yna ef, na chredwch, Can ‡ dyna
ys cyfyd gau-Gristiae, a' gau Brophwyti, ac a wnant
arwyddion ac *aruthroedd i hudaw, pe bei possibil, y * ryveddodae
gwir etholedigion. A' mogelwch chwi*theu:* wele, *ys*   vthur
racddywedais y chwy bop peth *oll,*
   A' hefyt yn y dyddiae hyny, gwedy'r *gorthrymder * blinder,
hwnw y tywylla yr haul, a'r lloer ny rydd hi ‡llewych,   drallod
a' ser y nef a syrthiaut: a'r nerthoedd 'sy*dd* yn y nef- ‡ goleuni,
oedd a yscytwir. Ac yno y gwelant Vap *y* dyn yn   lleuver
dyvot yn yr wybren*næ,* y gyd a *nerth lliosawc a' go- * meddiant
goniant. Ac yno yd enfyn ef ei Angelion, ac y ‡cascla   mawr, aml
ef ei etholedigion y *wrth petwar gwynt, ac o eithav- ‡ cynulltyra
oedd y ddaiar yd eithav*oedd* y nef, dyscwch *barabol y * o duedd
gan y fficuspren. Tra vo ei gangen eto yn dyner, ac e * gyffelyb-
yn ‡bagluraw dail, *ys* gwyddoch vot yr haf yn agos.   rwydd
Ac velly chwitheu, pan weloch y pethae hyn wedy ‡ dwyn
*dy*vot gwybyddwch pan yw *bot* teyrnas Duw yn agos,
sef wrth y drws. Yn wir y dywedaf y chwi, *nad *a* * na ddervydd
a'r oes hon heibio, yd pan wneler *y pethæ* hyn oll.   y genedleth
Nef a' daiar ‡aant heibio, eithr vy-gairiae i nid ant   hon
heibio. Ac am y dydd hwnw a'r awr ny'sgwyr *vn ‡ ddarvyddant
dyn, na'r Angelion chwaith yr ei 'sy yn y nef, na'r Map * neb
‡yntef, *n*amyn y Tat *yn vnic.* Ymogelwch: gwiliwch ‡ yhun
a' gweddiwch: can na wyddoch pa bryd yw'r amser.
Can ys Map y dyn ys y val ‡dyn yn ymddaith i wlad ‡ vn
bell, ac yn gadael ei duy, ac yn rhoi *awdurdot y'w *meddiant
weision, ac i bob vn ei waith, ac yn gorchymyn ir
porthor wiliaw. Gwiliwch am hyny, (can na wyddoch ‡ drysawr
pa bryd y daw Arglwydd y tuy, gan hwyr, ai *am* haner * gathyl
nos, ar *ganiat y ceilioc, ai'r ‡borae *ddydd)* rac pan ‡ ai ar luc y
ddel ef yn ddysumwth, iddo ych cael yn cuscy. A'r   dydd, wawr
   ddydd, ar glais
   y dydd

hyn *pethe* a ddywedaf wrthyh-wi, a ddywedaf wrth
bawp, Gwiliwch.

Pen. xiiij.

Yr Offeirieit yn ymgynllwyn yn erbyn Christ. Mair Magdalen yn
‡ir aw Christ. Bwyta 'r Pasc. Ef yn menegi o'r blaen am vrad
Iudas. Ordinhat a' ffurf cwynos ne super yr Arglwydd. Dalha
Christ. Petr yn y wadu ef.

A R ben y ddau ddydd gwedy ydd oedd y Pasc, a'
gvvyl y bara *croyw: a'r Archoffeirieit a'r gwyr-
llen a geisiesont pa ffordd y dalient ef trwy ‡ddichell
yw ladd. Eithyr dywedyt a wnaent, Nyd ar yr wyl,
rac bot cynnwrf yn y popul. A' phan ytoedd ym-
Bethania yn-tuy Simon 'ohanglaf, ac ef yn eistedd
*wrth y vort, y deuth gwraic a chenthi vlwch o ‡oleo
*spicnard gwerth-vawr, a' hi a dorawdd y blwch, ac ei
tywalldawdd am y ben ef. Am hynny y sorawdd
rei ynthynt ehunein, can ddywedyt, I pa beth y
gwnaethpwyt y collet ‡*hyn* ar oleo? obleit ef allesit ei
werthu er mwy na thrichant ceiniawc, a' ei roddy ir
tlotion, ac wy a ‡ddigiesont wrthei. A'r Iesu addyvot,
Gedwch yddi: paam ydd ych en hei *molesty? hi a
weithiawdd weithred da arnaf. Can ys cewch y tlodion
gyd a chwi bop amser, a phan vynnoch y gellwch
wneythy *tvvrn* da yddwynt, anyd myvi ny chewch bop
amser. Hyn y allawdd hon, hi a ei gwnaeth: hi a
ddeuth ym-blaen-llaw y eliaw vy-corph erbyn y ‡cladd-
edigaeth. Yn wir y dywedaf wrthych, p'le bynac y
precethir yr Euangel hon yn yr oll vyt, *a' hyn a
wnaeth hon, a adroddir er coffa am denei. Yno
Iudas Iscariot, vn o'r dauddec aeth ymaith at yr
Archoffeiriait, y'w vradychy ef yddwynt. A' phan
glywsont hynny, llawen vu ganthwynt, ac a add-
awsont roddi ariant ydd aw: am hynny y casiawdd
‡pa vodd y gallei yn *gymmwys y vradychy ef.
A'r dydd cyntaf o'r bara ‡croyw, pan aberthynt
y Pasch, y dyvot ei ddiscipulon wrthaw, I b'le y myny
i ni vyned a' pharatoi, i vwyta ohanat y Pasc? Ac
anvon awnaeth ddau oei ddiscipulon, a dywedyt wrth-
ynt, Ewch ir dinas, ac e gyvwrdd dyn a chwi yn dwyn
ysteneit o ddw*fy*r, cynlynwch ef. A' ph'le bynac ydd
el ef y mywn, dywedwch wrth 'wr y tuy, Yr Athro a

Marginal notes

‡ enneinio

*Yr Euangel y
Sul nesaf o
vlayn y Pasc.*
* crai, crei, cri
‡ vrad

* ar y bwrdd
‡ yyl, irait, eli,
 wylment
* lavandr pur

‡ hon

‡ ffromesont
* thrwblio,
 blino

‡ aggladd

* hefyt, ys

‡ p'odd
* amserol,
 temporaidd
‡ crei

ddywait, Pyle y mae 'r lletuy lle y bwytawyf y Pasc
mi am discipulon? Ac ef a ddengys ychwy *gor-   *guvicul, siambr
uchystavell vawr, ‡yn gywair ac yn parat: ynow
paratowch y ni. A' myned ymaith o'i ddiscipulon, a   ‡ wedy gym-menny
dyvot ir dinas, a' chaffael megis y dywedesei ef wrth-
ynt, a' pharatoi 'r Pasc a wnaethant. Ac yn yr
*hwyr y deuth ef a'r deuddec. Ac val ydd oeddent   * echwydd
yn eistedd ac yn bwyta, y dyvot yr Iesu, Yn wir y
dywedaf ychwi, mae vn o honawch a'm bradycha, yr
hwn ys ydd yn bwyta gyd a mi. A' dechrae tristay
a wnaethant, a' dywedyt wrthaw ‡o bop vn, Ai myvi?   ‡ bop vn ac vn
ac o arall, Ai myvi? Ac ef atepodd ac a ddyvot
yddwynt, *Sef* vn o'r dauddec yr hwn ys y 'n *trochi   * gwlychu, llynu
gyd a mi yn y ddescil *am bradycha.* Can ys Map y
dyn a ‡ymaith, mal ydd escrivenir *o hano: anid   ‡ gerdda / * am dano
gwae 'r dyn hwnw, trwy 'r hwn y bradychir Map y
dyn: da vysei ir dyn hwnw na anesir ef er ioet. Ac
val ydd oeddent wy yn bwyta, y cymerth yr Iesu vara,
a' gwedy yddaw ‡vendithiaw y tores, ac y rhoddes   ‡ ddiolch
yddwynt, ac y dyvot, Cymerwch, bwytewch, hwn yw
*vy-corph. Ac e gymerth y ‡cwpa*n*, a' gwedy iddaw   * vynghorff
ddiolch, ef ei rhoddes ydd-wynt, ac wy oll yvesont o   ‡ phiol
hanaw. Ac ef a ddyvot wrthwynt, Hwn yw vy-gwaet
*o'r Testament newydd, yr hwn ‡'ellyngir tros lawer.   * ir
Yn wir y dywedaf wrthych, nid yfaf mwy o ffrwyth   ‡ ddineiir
y winwydden, yd y dydd hwnw ydd yfwyf ef yn
newydd yn-teyrnas Duw. A gwedy yddynt ganu
*psalm, ydd aethant al'an i vonyth olyvar. A'r Iesu   * emyn, moli-ant, diolwch
a ddyvot yddwynt, Y nos hon ich ‡rhwystrir oll o'm   ‡ trancwyddir
pleit i: can ys scrifenedic yw, Trawaf y bugail a'
goyscerir y deuait. Eithyr gwedy y cyvotwyf, *ydd   * ich racvlaenaf
af o'ch blaen ir Galilaia. Ac Petr a ddyvot wrthaw,
a' phe rhwystrit pawp, eithyr ny*d* myvi. A'r Iesu a
ddyvot wrthaw. Yn wir y dywedaf y ti, mae heddyw,
ys ef y nos hon, cyn ny cano o'r ceiliawc ddwywaith,
i'm gwedy dairgwaith. Ac efe a ddyvot yn vwy o   ‡ yn ddifrifach, ddrudach
lawer, A' phe gorvyddei arnaf varw gyd a thi, ni'th
wadaf: ar vn ffynyt hefyt y dywedesont wy oll. A'
gwedy y dywot wy i van a enwit Gethsemane: yno y
dyvot ef wrth ei ddiscipulon. Eisteddwch yma, tra
vyddwyf yn gweddiaw. Ac ef a gymerawdd gyd ac
ef Petr ac Iaco, ac Ioan, ac a ddechreuodd *ofni,   * arswydo,

‡ echryd, dir-
   dan

* gwympodd

* phial, carregl

‡ wiliad

* egwan

‡ wele

* nycha

‡ ffynn

* ryw arwydd
‡ hebryngwch

* Achro, Athro
‡ ymavlesont
   ynthaw

* ffynn

‡ oll

* ffoes

a' ‡brawychu, ac ef a ddyvot wrthwynt, Tra thrist yw
vy enait, *ys* yd angae: Aroswch a' gwiliwch. Ac ef
aeth ychydic pellach, ac a ‡ddygwyddawdd, ar y
ddaiar, ac a weddiawdd, pan yw a's gellit, vynet o'r
awr hono heibio y wrtho. Ac ef a ddyvot, Abba Dad,
pop peth ys ydd alluawl i ti: treigla ymaith y *cwpan
hwn ywrthyf: eithyr nyt hynn a vynwy vi, anid hynn
a *vynych* di. Ac ef a ddeuth ac ei cafas wy yn cyscu,
ac a ddyvyt wrth Petr, Simon, *Ai* cyscu ydd wyt? A
ny ally-t' ‡wyliaw vn awr? Gwiliwch, a' gweddiwch,
rac eich mynet ym-provedigaeth: yr yspryt yn ddiau
'sy parat, anid cnawt ys y *'wan. A' thrachefyn ydd
aeth ymaith, ac y weddiawdd, ac a ddyvot yr vn
ymadrodd. Ac gwedy ymchwelyt o hanaw, ef a ei
cafas wy drachefyn yn cyscu: can ys ydd oedd eu
llygait yn drymion, ac ny wyddent beth a atepent
ydd-aw. Ac ef a ddeuth y drydedd waith, ac a ddyvot
wrthwynt, Cyscwch weithian, a' gorphoyswch: digon
yw: e ddeuth yr awr: ‡nycha, y rhoddir Map y dyn
yn-dwylaw pechaturieit. Cyfodwch: awn: *wele, yr
hwn a'm bradycha, ys id yn agos. Ac yn y man ac
ef yn ymddiddan, y dauei Iudas yr hwn oedd vn o'r
dauddec, ac gyd ac ef dyrfa vawr a chleddyfae a'
‡phastynae oywrth yr Archoffeiriait y Gwyr-llen, a'r
Henurieit. A'rhwn y bradychesei ef, a roddesei
*amnaid yddwynt, can ddywedyt, Pwy'n bynac a'
gusanwyf, hwnw yw: deliswch ef ac ‡ewch ac ef
ymaith yn ddirgel. Ac wedy ei ddyvot ef, ef aeth
ataw yn y van, ac a dyvot *vvrthavv*, *Rabbi, Rabbi,
ac ei cusanawdd *ef*. Ac wy a ‡roesont ei dwylo
arnaw, ac ei daliesont. Ac vn o'r ei oedd yn sefyll
yno, a dynnawdd gleddyf, ac a drawodd 'was yr Arch-
offeiriat, ac a dorrawdd ei glust ymaith. A'r Iesu
atepawdd ac a ddyvot wrthwynt, Chwi ddaethoch allan
megis at leitr, a chleddyfe ac a *phastinae im dal*ha i*.
Ydd oeddwn paunydd gyd a chwi yn traethy-dysc yn y
Templ, ac ny'm daliesoch: eithyr *hynn ys ydd* er
cyflawny 'r Scrythurae. Yno wy y gadawsant ef, ac
a giliesont ‡bawp. Ac ydd oedd vn gwr ieuanc, wedyr
wiscaw a lliain ar *ei gorph* noeth, yn ei gynlyn ef, a'r
gwyr ieuainc y daliesant ef. Ac ef a adawodd ei
liain*vvisc*, ac a *giliawdd y wrthwynt yn noeth. Yno

y ducesont yr Iesu at yr Archoffeiriat, ‡ac ato ef y   ‡ gyd ac
deuth yr oll Archoffeiriait, a'r Henurieit, a'r *Gwyr-   * Scrivenydd-
llen. Ac Petr oedd yn y ddylyn ef o hir-bell, yd y   ion
‡mewn llys yr Archoffeiriat, ac a eisteddawdd, gyd a'r   ‡ ny ddaeth ef
gwasanaethwyr, yn ymdwymo wrth y tan. A'r Arch-
offeirieit a'r oll *Senedd oedd yn caisiaw testiolaeth   * Cwnsli
yn erbyn yr Iesu, er i roi ef i varwolaeth, ac ny's
cawsant. Can ys llawer a dducsont gau testiolaeth
yn y erbyn ef, eythyr nyd oedd y testiolaethae wy ‡yn   ‡ gyt vn
gysson. Yno y cyfodes 'r ei, ac a dducesont *gau   * gam
testiolaeth yn ei erbyn ef, can ddywedyt, Nyni y
clywsam ef yn dywedyt, Mi a ddinistriaf y templ hon
o waith ‡llaw, ac o vewn tri-die yr adailiaf arall, nid   ‡ dwylo
o waith llaw. Ac eto nyd oedd y testiolaeth wy gyfun
chvvaith. Yno y cyfodes yr Archoffeiriat yn ei cenol
wy, ac a 'ovynodd i'r Iesu, can ddywedyt, Anyd atepy
di ddim? paam y mae yr ei hynn yn testolaethy yn dy
erbyn? Ac ef a dawodd, ac nyd atepawdd ddim.
Trachefyn y gofynawdd yr Archoffeiriat yddaw, ac
ydyvot wrthaw, Ai ti Christ Map y Benedicedic? A'r
Iesu a ddyvot, ‡Mivi yw *ef*, a' chewch weled Map y
dyn yn eistedd ar ddehau gallu *Dyvv*, ac yn dawot
yn *wybrennae'r nef. Yno 'r Archoffeiriat a rwyg-   * cymyle
awdd ei ddillat ac a ddyuot, Paam y rait y ni mwy
wrth testion? Clywsoch y cabledigaeth: peth a dyb-
*ig*w-chwi? Ac wynt oll a varnesont y vot ef yn
euawc i angae. A'r ei a ddechreuawdd poeri arnaw,
a *chuddiaw ei wynep, a' ei ddyrnodiaw, a' dywedyt   * vygydy
wrthaw, Prophwyta. A' ringilliait y trawsont ef a *ei*
gwiail. Ac val yr oedd Petr yn y nauadd iso*d*, y
deuth vn o vorynion yr Archoffeiriat. A' phan ganvu
hi Petr yn *ym*dwymo, hi a edrychodd arnaw, ac a
ddyvot, Ti*the* hefyt oeddyt gyd a Iesu o Nazaret. Ac
ef a wadawdd, gan ddywedyt, Nyd adwaen i ef, ac
ny 'wn beth dwyt yn ei ddywedyt. Yno ydd aeth
ef allan ir ‡rhacnauadd, ac a ganawdd y celiawc.   ‡ porth
Yno pan welawdd morwyn ef drachefyn, hi a ddech-
reuawdd ddywedyt wrth yr ei oedd yn sefyll yno,
Hwn yw *vn* o hanwynt. Ac ef a *ym*wadawdd dra-
cyefyn: ac ychydic gwedy, yr ei oedd yn sefyll yno,
a ddywedesont trachefyn wrth Petr, Yn wir ydd wyt *vn*
o hanwynt: can ys Galileat wyt, a'th lediaith ys y

* velltithiaw,
regy

gynhebic. Ac yntef a ddechreawdd *dynghedy, a'
thyngu, *gan ddyvvedyt*, Nyd adwaen i'r dyn yr ych
yn ei ddywedyt. A'r ailwaith y canodd y ceiliawc,
ac y cofiawdd Petr y gair a ddywedesei'r Iesu wrthaw,
Cyn canu o'r ceiliawc ddwywaith, im gwedy dair-
gwaith, ac wrth adveddylied, ef a wylawdd.

Pen. xv.

Arwein yr Iesu at Pilat.　Ei varny ef, ei ddiveiliorni, a'ei roi [i]
varwolaeth, A' ei gladdy 'gan Ioseph.

*Yr Euangel
die mawrth cyn
die Pasc.*
* Gwnsli

AC yn y van ar glais y dydd, ydd aeth yr Arch-
offeiriait yn ei cygcor gyd ar Henurieit, a'r
Gwyr-llen a'r oll *Seneddr, ac arwain yr Iesu ymaith
yn rhwym a wnaethant, a' ei roddy at Pilatus. Yno
y gofynawdd Pilatus ydd-aw, Ai ti yw'r Brenhin yr
Iuddaeon? Ac ef a atebawdd, ac a ddyvot wrthaw,
Tu *ei* dywedy, A'r Archoffeirieit ei cyhuddesont o
lawer o beth*e*. Am hyny y govynawdd Pilatus iddaw
drachefyn, can ddywedyt. A ny*d* atepy *di* ddim?
Nycha, meint o pethae a testiant ith erbyn. Eithyr

* eto

‡ Pilatus

*etwa nyd atepodd yr Iesu ddim, mal y rhyveddawdd
ar Pilatus. Ac yr wyl *hono* y gellyngai ‡ef vn car-
charor yddynt, pa vn bynac a vynnent. Ac ydd oedd

* yngharchar
‡ codiat
* gyflafan, lof-
ruddiat

vn a elwit Barabbas, yr hwn oedd *yn rhwym gyd ei
gyd dervyscwyr, ac yn y *dervysc a wnaethent
‡laddiat. A'r popul a lefawdd yn vchel, ac a ddechre-
awdd ddeisyfy *vvneythyd o honavv* vegis y gwenythei
bop amser yddynt. Yno Pilatus ei atepawdd, can
ddywedyt, *A* vynnwch i mi ellwng yn rhydd i chwi
Vrenhin yr Iuddaeon? Can ys ef a wyddiat mae o
genvigen y daroedd ir Offeiriait y vradychy ef. Eithyr
yr Archoffeiriait a gyffroesant y popul *y ddeisyfy*
ellwng o hanaw yn hytrach Barabbas yddwynt. Ac

* a hwn

Pilatus atepawdd, ac a ddyvot trachefyn wrthwynt,
Beth gan hynny a vynwch i mi i wneythur *ac ef
yr hwn ydd ych yn ei 'alw yn Vrenhin yr Iuddaeon?

‡ Croesa

Ac wy a lefesont trachefn. ‡Croc ef. Ac Pilatus a
ddyvot wrthynt, Pa ddrwc a wnaeth ef? Ac wy*the*

* Dod ef ar y
groed

a lefesant vwyvwy. *Croc ef. Ac *velly* Pilatus yn
wyllysy bod*d*loni 'r popul, a ollyngawdd yddynt Bar-
abbas, ac a roddes yr Iesu gwedy yddo ei yscyrsiaw,
y ew groci. Yno 'r milwyr y ducesont ef ir llys, ys

ef yw, y dadleuduy, ac 'alwesont yn-cyt yr oll ‡gaterva, ‡ viddin gyw-
ac y gwiscesant ef a *phorphor, ac a blethesant coron dawd
o ddrain, ac hei dodesont *am ei benn*, ac a ddechreusant * ryw wisc o liw purpur
gyfarch-gwell ydd-aw, can ddywedyt, Hanpych-well
Vrenhin yr Iuddaeon. Ac wy ei ‡trawsant ar ei ben ‡ maedddesont
a chorsen, ac a boeresont arnaw, ac a blygesont *ei*
glinie, *ac* *ei addolesant. A' gwedy yddwynt ei * wnaethant
watwor ef, wy a ddioscesont y porphor y amdanaw, voes yddaw
ac ei gwiscesont ef oei ddillat ehun, ac ei arwenesont
allan ‡y'w groci. Ac wy a gym*p*ellesont vn oedd yn ‡ yddy groesi
mynet heibio, *a elvvit* Simon o Cyren, (yr hwn a
ddeuthei o'r 'wlat, ac ytoedd tad Alexander a' Rufus)
y ddwyn y ‡groc ef. Ac wy ei ducesont y le a elwir ‡ groes
Golgotha, yr hwn yw oei ddeongl, y benglocva. Ac
wy a roesout yddaw y yuet win *myrhllyt: anid ny * wedyr gy-
chymerawdd ef ddim hanaw. Ac wedy yddynt y myscy a myrrh
groci ef, wy a rannesont ei ddillat, gan vwrw ‡coel- ‡ cyttae cwt-
brenni am danwynt, pa gaffei pop vn. A'r drydedd tysae
awr yd oedd hi, pan grogesont ef. Ac ‡yscrifen * graifft
y achos ef a escrifenit uch pen, *ys ef BRENHIN
YR IVDAEON.* Ac wy a grocesant ddau leitr gyd
ac ef, vn ar y llaw ddeheu, a'r-all ar ei law ‡asw: Ac ‡ asae
val hyn y cyflawnwyt yr Scrythur, yr hon a ddyweit.
Ac cyd ar ei enwir y cyfrifwyt ef. A'r ei oedd yn
myned heibiaw, ‡y ceplynt ef, can yscytwyt ei pennae, ‡ roen seniddo
a' dywedyt, ‡Och, tydi yr hwn a ddinistryt y Templ, ac ‡ Wban, Ow
ei adailyt mewn tri-die, ymwared dyhun, a' descen o
*groc. A'r vn ffynyt y gwatworodd ys yr Archoffeiriat, * ddyar y groes
gan ddywedyt, yn y plith ehunain y gyd a'r Gwyr-
llen, Ereill a waredawdd ef, ehun ny ddychon e ym-
wared. Descenet yr awrhon Christ Vrenhin yr Israel
y lawer *o'*r groc, val y gwelom, a' chredy. A'r ei a * y ar y
grocesit gyd ac ef, a ‡liwient yddaw. A gwedy dyvot ‡ ddanoddent
y chwechet awr, e gyfodes tywyllwch dros yr oll
*ddaiar yd y nawvet awr. Ac ar y nawvet awr y * dir
dolefawdd yr Iesu a llef vchel, can ddywedyt, *Eloi,* ‡ vynnuw
Eloi, lamma sabachthani? yr hyn yw o ei gyfiaithy?
‡Vy-Duw, vy-Duw, paam im *gwrthddodeist? A'r * gedeist
ei oedd yn sefyll yno pan gwlywson *hynny,* a ddywed-
esont. Nycha, y mae ef yn galw Elias. Ac vn a
redawdd, ac *ac* ‡yspong yn llawn o vinegr, ac ei dodes ‡ yspwrn
ar gorsen, ac ei *rhoes yddaw i yfet, can ddywedyt. * estennodd

‡ edrychwn
* diffoddawdd
‡ rwygodd

* maddae
‡ gwr yma

* leiaf

‡ arno

* echwydd
‡ arlwy
* racsabath

* ehofn, llyf-
  asus

‡ sidon
* amdoes
* bedd
‡ bedd

Gadwch iddaw: ‡gwelwn a ddaw Elias yw dynnu ef y lawr. A'r Iesu a lefawdd a llef vchel, ac a *ellyng-awdd yr yspryt. A' llenn y Templ a ‡rwygwyt yn ddwy, o *dd*ucho*t* y *dd*iso*t*. A' phan weles y Cann-wriat yr hwn oedd yn sefyll gyferbyn ac ef, lefain o honaw velly a' *gellwng yr yspryt, ef a ddyvot, Yn wir map Duw ytoedd y ‡dyn hwn. Ac ydd oedd gwraged yn tremio o hirbell, ym-plith yr ei'n ydd oedd Mair Magdalen, a' Mair (mam Iaco *vachan ac Iose) a' Salome, a'r ei'n pan oedd ef yn Galilea, y dylynent ef ac a wasanaethent ‡yddaw, a' llawer o wragedd eraill yr ei a ddaethent i vyny gyd ac ef i Gaerusalem. A' phan ytoedd hi yn *hwyr (can y bot hi yn ddydd ‡darpar, ys ef yw o *vlaen y Sabbath) yno Ioseph o Arimathaia cygcorwr gwiw, yr hwn oedd hefyt *ynt*ef yn edrych am deyrnas Duw, a ddeuth ac aeth y mewn yn *hyderus at Pilatus, ac a archawdd gorph yr Iesu. A' rhyveddy a wnaeth Pilatus, a vesei e varw eisius, ac a alwodd ataw y Cannwriad ac a 'ovynawdd iddaw a oedd ne-mawr er pan vesei ef varw. A' phan wybu e'r *gvvir*, can y Cannwriat e roddes y corph i Ioseph, yr hwn a brynawdd ‡liain, ac ei tynnawdd ef i lawr, ac ei ‡amwiscawdd yn y lliain, ac ei dodes ef mewn *monwent a na ddesit o graic, ac a dreiglawdd vaen ar ddrws y ‡vonwent: A' Mair Vagdalen, a' Mair *mam* Iose oeddent yn edrych p'le y dodit ef.

Pen. xvj.

Y merched yn dyuot at y bedd. Christ gwedy cyuody yn ym-ddangos i Vair Vagdalen. A' hefyd ir vn ar ddec, ac yn beio ar y ancrediniaeth wy. Ef yn rhoi ar ei llaw wy preccthy'r Euangel, a' Betyddiaw.

* eneinio
‡ ybore glas
* beddrod

‡ bedd

* maen, carec

A GWEDY darvot y dydd Sabbath, Mair Magdalen, a' Mair *vam* Iaco, a' Salome, a brynesout ireidiae aroglber y ddyvot i *iraw ef. Ac velly ‡yn dra bore, y dydd cyntaf o'r wythnos y daethant ir *vonwent a'r haul yn codi, ac y dywedesont wrth ei gylydd, Pwy a *dd*a*d*treigla y ni y llech o y*dd*ar ddrws y ‡vonwent? A' phan edrychesant, wy welsant *dd*ar*v*ot adtreiglo y *llech (o bleit ydd oedd hi yn vawr iawn.) Yno ydd aethant *y mevvn* ir vonwent, ac y gwelsant wr-ieuanc yn eistedd o'r tu deheu, wedyr 'r wiscaw mewn *ystola gannaid: ac wy a ofnesont. Ac ef a ddyuot wrthynt, Nac ofnwch: caisio ydd ych Iesu o Nazaret, yr hwn a ‡grogwyt: e gyuodes, ny*d* yw ef yma*n:* *nycha y *man* lle y dodesent *vvy* ef. Eithr ewch ymaith, a' dy-wedwch y'w ddyscipulon, ac i Petr, ‡ydd a *ef* och blaen i'r Galilaia: yno y gwelwch ef, megis y dyuot *ef* y chwi. Ac wy*the* aethant allan ar *ffrwst, ac a ‡giliesont ywrth y *vonwent: can ys-dechryn ac ‡irdang oedd ynthynt: ac ny ddywedesont ddim wrth neb*un:* can ys ofnesynt.

A' gwedy a*d*cyvody yr *Iesu*, y borae (yr hwn *yd*oedd y dydd cyntaf o'r wythnos) ef a ymddangoses yn gyntaf i Vair Vagdalen, o'r hon y bwriesei ef allan saith gythrael. Hithe a aeth ac a ‡ddyvot ir ei a vesynt y gyd ac ef, ac oeddent yn *cwynovain ac yn wylo. A' phan glywsant y vot ef yn vyw, ac yddy hi y weled ef, ny chredesant.

Gwedy hyny, yr ymddangosawdd ef y ddau o hanynt mewn ‡ffurf arall, a' hwy yn gorymddaith ac yn myned i'r 'wlad. Ac wy aethant ac a venagesont ir *relyw *o hanynt,* and ny*d* oeddent yn ei credu *vvy chvvaith.*

¶ Yn ol hyny yr ymddangosodd ef ir vn ar ddec val ydd oeddent yn cydeistedd, ac a roes yn y herbyn am e ancrediniaeth a chaledwch *ei* calonnae can na's credent yr ei y gwelsent ef, wedy gyvody. Ac ef a ddyvot wrthwynt, Ewch ir oll vyt, a' phrecethwch yr Euangel i bop creatur. Yr hwnn a greto ac a vatyddier, a *iach*ë*ir: eithr yr hwn ny's cred, a ‡vernir *yn evavvc.* A'r arwyddion hynn a gynlyn yr ei a credant, Yn vy Enw i y bwriant allan gythraeliait, ac a ymadroddant a thavodae newydd*ion,* ac a *dd*yrrant ymaith seirph, ac a's yfant ddim marwol, ny wna *niwet yddynt: ar y cleifion y dodant ei dwylaw, ac wy a ant yn iach. Velly wedy daroedd ir Arglwydd ymddiddan ac wynt, e ‡dderbyniwyt i vyny ir nef, ac a eisteddawdd ar dde-heulaw Duw. Ac wy aethant rhacddwynt, ac a prec-ethesont ympop lle. A'r Arglwydd a gydweithiawdd ac wynt, ac a gadarnhaodd y gair *ac arwyddion yn arganlyn, *Amen.*

Marginal notes:

* gwisc wen laes

‡ groeswyt
* wele, llyma

‡ y chracvlaena ef chwi

* ar vrys
‡ ffoesont
* bedd
‡ sanedigaeth

‡ veunagodd

* mewn galar

‡ drych

* llaill, ir ddarn arall

Yr Euangel ar ddydd y Derch-avel.

* a vydd cad-wedic
‡ ddienyddir

* argywedd

‡ cymerwyt

* trwy wyrth-ieu

YR EPISTOL

AD YR

EBRAIEIT

YR ARGVMENT.

Yn gymeint a' bot llawer o Scriuenyddion, yn gystal yr ei Groec ar ei Llatin, yn testio, na vynei scrivenydd yr Epistol hwn ac am iawn achosion bot gwybot ei enw, peth afrait ynte i neb yw chwaith travaelu yn hyn o ddevnydd. A' chan vot Yspryt Duw yn awdur yddaw, nyd llai ddim ei awdurtot, er na wyddam ni a pha bin yr escrivenawdd ef hwn. Pa vn bynac ai Paul ytoedd (yr hyn nyd yw gyffelip) ai Luc, ai Barnabas, ai Clement, ai vn arall, y bwrpos pennaf ef oedd ddwyn yr Ebrait i gredu (wrth yr hyn enw y mae ef yn meddwl yn benaf yr ei oeddent yn aros yn-Caersalem, ac wrthyn wytheu yr oll Iuddaeon eraill) nad oedd Christ Iesu yn vnic y prynawdr, eithr hefyt mae dir oedd wrth y ddyvodiat ef bot pen am yr oll *ceremoniae: yn gymeint a bot ei ‡athraweth ef yn ddyben yr oll prophetolaetheu, ac am hyny nyd Moysen yn vnic oedd yn is nac efe, anyd hefyt yr Angelion: can ys wyntwy oll oeddent y gweision, ac yntef yr Arglwydd, eithyr velly yn Arglwydd, mal y cymerth ef hefyt y cnawd ni, ac a wnaethpwyt yn vrawt yni er ein sicrau o'n iechydwrieth y trwyddaw ef yhun: can ys efe yw'r Offeiririat tragyvythawl hwnw, ir vn nyd oedd yr oll Offeirieit Leuitieit anyd gwascotae, ac am hyny ar y ddyvodiat ef bot yn rrait yddynt yspeidiaw, a' *dileu pop aberth dros bechot, megis y mae ef yn provi o'r saithvet pen a'r ail wers ar ddec, yd y dauddecvet pen, a'r ddaunawuet wers. Hefyt efe oedd y Propwyt hwnw, am yr vn gynt y testient yr oll Prophwyti, megis y declarir or ddaddecuet pen, a'r ddaunawvet wers, yd y bempet wers ar vcain or vnryw ben: ac ys efe yw'r Brenhin ir hwn y mae pop peth yn ddarostyngedic, megis yr eglurir or wers hono 25. yd dechre y pen dywethaf. Erwydd paam yn ol esemplae yr hen dadae rhait yni oll gredu ynddo ef, val y bo dwedy ein saincteiddo trwy y gyfiawuder ef, a'n dyscu y gan ei ddoethinep, a'n llywodraethu y gan ei veddiant, yni allu yn ddiyscoc, ac yn gyssurus barhau yd y dywedd yn-gobaith y llawenydd hwnw y 'osodir ger bron ein llygait, gan ymarver yn-gorchwiliau Christianus, megis y gallom vot ac yn ddiolchgar y Dduw, a gwneuthur a ddylem in cymydawc.

Pen. j.

1 Dangos y mae ef ef rhagorvraint Christ,   4 Goruch yr Angelion,
7 Ac am y swydd hwy.

Duw lawer gwaith a llawer modd gynt a ymddiddanodd ar tadau trwy'r prophwydi:

2 Y dyddie diwaythaf hynn ef ymddiddanodd, a

Margin notes:

* cynneddfeu
‡ ddysc

* darvot am,
na bai mvvy

D. R. D. M.
yr vn hwn at
yr Ebraieit, y
ddau i Petr,
a'r vn i Iaco

Yr Epistol ar
ddie Natalic

nyni trwy eu Vab, rrwn a wnaeth ef yn etyvedd pob
peth, trwyr hwn hefyd y gwnaeth ef y bydoedd,

3 Rrwn am yfod yn llewyrch y gogoniant, a *gvvir-   * Gr. character
lun y berson ef, ac yn cynnal pob peth trwy eu air   tes hypostascos
galluawg *ef*, wedy golchi eyn pechodeu ni trwyddo ef
eu hun, a eystedd*avdd* ar ddeau-law y fowredd ef yn
y *goruche*lion*,   * lleoedd gor-
                                                         uchaf
4 Ac ef a wnaethbwyd o lawer yn well nor Angylion
o gymyn ac y raeth ef ac enw sy yn dwyu rragor
arnyntwy.

5 Can ys wrth pwy or angylion yrioed y dywod ef,
Vy mab i ydwyt i, myvi heddiw ath enillais di? ac
eilwaith, Myfy a fydd yn tad iddo ef, ac yntau fydd yn
vab y mineu?

6 A' thrachefn pan ydyw yn dwyn eu vab cyntaf
ir byd *hvvn*, y dowaid, Ac ai addolasont ef holl angylion
Duw.

7 Ac am yr angylion yn wir y dowaid, Rrwn a
wna eu cenadau o yspridion, ay wasanaythwyr o fflam
dan.

8 Wrth y mab hagen *y dyvvait*, Dy ‡gadair di,   ‡ dron
Ddyw, yn oes oesoedd: teyrnwialen vnion teyrnwialen
dy dyrnas di.

9 Ti a geraist wirionedd, ac a gasëist enwiredd; am
hyny Dyw, ysef dy Ddyw di ath *enneyntiodd ac olew   * eliawdd
llywenydd ytuhwnt ith ‡cymedeithion.   ‡ gyfeillion

10 A'c, Tydi yn y dechreuad, arglwydd, a *grownd*-
waleist y ddayar, ar nefoedd gwaith dy ddwylaw di
ydynt.

11 Colli a wnant wy eythr tydi a erys: acy gyd oll
heneiddio a wnant megys cadachay.

12 Ac megis gwisc y plygi di hwynt, ac a ymnewid-
iant: eythr tydi yr vn ydwyd, ath vlenyddoedd di ni
*ddeffygiant.   * phallant

13 Wrth pwy or angylion erioed y dywod ef, Eistedd
ar y llaw ddeau ym, hyd oni ddodwy dy elynion yn stol
ith traed?

14 Onid ysprydion gwasanaythgar y dynt wy oll, a
ddanfonir y wasanaenthu, ir mwyn y rray a fyddont
ytyveddion yr iechaid?

Pen. ij.

1 Eiriol arnam y mae ef vot yn uvydd ir Ddeddyf newydd 'rhon a roes Christ y ni, 9 Ac na rwystrer ni wrth wendit ac iselradd Christ, 10 Can vot yn angenreidiol yddo er ein mwyn ni gymeryd gyfryw ddiystadl gyflwr arnaw, val y byddei gynhebic yw vroder.

AM hynny rraid yni yn ddysceulus ystirieth y pethau a glowsom, mal na ollymgom ni hwynt vn amser y lithro.

2 Can ys o bydday gadarn y gair a ddoydid trwy Angelion, a derbyn o bob sarhaet, ac anufyddtod gyfion talu pwyth,

* ddiogelwch

3 Pa fodd y diangwn ni, od esceuluswn cyfryw *vavvr* *gadwadigaeth? rrwn pan ddechreuwyd y arddangos drwyr arglwydd y hun, a sickerhawyd y ni gan y rrai a fu yn y wrandaw,

4 Duw yn cydtestlauthu, drwy arwyddion a rryveddodau, ac ymravael rinweddau, a' rranniadau yr Yspryd glan, ar ol y wyllys y hun.

5 Can ys nid ir engylion y darestyngodd ef y byd a ddaw, rrwn y ddydym yn son am dano.

6 Eithr vn yn rryw fan a ddwg testioleth, gan ddoydyd, Beth yw dyn, mal y meddyliech am dano? neu vab dyn mal y darbyddech o honaw?

* isach, iselach

7 Ti ay gwnaythost ef ychydig yn is nor Angylion: a gogoniant ac vrddas y coronaist ef, ac ay gosodaist ef goruwch gweithredodd dy ddwylaw.

8 Pob peih a ddarostyngaisti tan y draed ef. Am hyn, gan ddarostwng o hono bob peth yddo, ni adawodd ef ddim heb y ddarostwng iddo. Eythr etto nid ydym yn gweled pop peth yn ostyngedic yddo.

9 Eythr Iesu a welwn ni wedy y goroni a gogoniant

‡ anrydedd

ac *vrddas, y neb a wnaythbwyd ychydic is nor angylion, herwydd dioddefaint marfolayth: mal y bay

* chwayddu

yddo ef trwy ras Duw *brovi marfolayth dros bawb.

10 Can ys gweddus oedd yddo ef, herwydd pwy y may pob peth, a thrw yr hwn y may pob peth, wrth iddo ddwyn llawer o feibion y ogoniant, gysegru pennadur y cadwadigaeth hwynt trwy 'ovydiau.

11 Can ys y neb a santeiddio, ar sawl a santeiddier, or vn y maynt *y gyd* oll, or achos hwn ni vydd cwilyddus cantho y galw hwynt yn frodyr,

12 Can ddoydyd, Myvi a ddangosaf dy enw di ym brodyr, ynghanol yr eglwys y canaf ymynnau yti.

13 A' thrachefn, Mi a ddodaf vy ymddiriaid yntho. A' thrachefn, Wele vi, a'r plant a roddes Duw y mi.

14 Am hynny gan fod y plant yn gyfrannog o gig a gwaed, yntau hevyd yr vn modd a wnaythbwyd yn gyframog or vnrryw, mal y gallai ef trwy farfolaeth ddistrowiaw, y neb y doedd a llyvodrayth marfolayth ar eu law, sef yw hwnw diawl.

15 Ac mal y gallay ef y ymwared hwynt *y gyd* oll, rrain rrac ofn marfolaeth gwbl oi bowyd oyddynt tann gaythiwed.

16 Nid angylion eusus a gymerawdd ef: eithyr epil Abraham a gymerawdd ef.

17 Wrth hynny y dylai ef ymhob peth fod yn gyffelib yw frodyr, mal y gallai fod yn drigaroc, ac yn Archoffeiriat ffyddlawn am y pethau a berthynant y Dduw, y *ddiffoddi pechodau y bobl trwy fodloni Duw.

* voddloni voddhau Duw tros

18 Yn wir gan ddioddef o honaw, ‡a' bod profedigaeth arno: vo ddichon help yr rrai *bo profedigaeth arnunt.

‡ ai demtio
* temtiedic

Pen. iij.

1 Y mae ef yn erchy arnynt vot an uvydd i 'air Christ, 3 Yr hwn 'sy deilyngach na Moysen. 12 Poenedigeth y cyfryw ac a galedant ei caloneu, ac ny chredant, val y caffent 'orphoysfa dragyvythawl.

AM hyn, vymrodyr santeidd, cyfranog*ion* or galwedigaeth nefawl, ystyriwch yr *Abostol ac archoffeiriad eyn ‡cyffes *ni* Christ Iesu:

* Genadwri
‡ proffess

2 Ef fu ffyddlon yr neb ay gosodes ef, megis ac y bu Moyses yng hwbl oi dy ef.

3 Cymynt yn wir rragor 'ogoniant tu hwnt y Voyses a hayddai hwn, ac y may mwy o vrddas ‡ir neb a edyladawdd y ty, nog ir ty ‡*y hun.*

‡ i hwn

4 Can ys pob ty a edeilir trwy ryw vn, ar neb a *wnaeth pob peth, Duw ydiw.

* adeiladodd

5 A' Moses yn wir a fu ffyddlon ynghwbl oi dy ef, megys gwas*aethvvr,* ir testelauthu y pethau y bydday son am danyn rrac llaw.

6 Eythyr Christ megis mab, ar eu dy y hun, ty yr

‡ ymddiriet

rwn ydym ni, os nyni a geidw ein ‡hyder a' gorhoffedd ein gobaith yn gyfan hyd y diwedd.

7 Am hynny megis y dowaid yr yspryd glan,

‡ llef

Heddiw o gwrandewch i y ‡lais ef,

* y chwerw-
edd, anoc
‡ yr anialwch

8 Na chaledwch ych calonau, megis yn ‡yr emryson, ar ddull dydd y tentasiwn yn ‡y diffaith*vvch*.

9 Lle y tentiason ych tadan chwi fi, ym profason, ac a welson fyngweithredoedd ddeugain mlyned,

* nasion

10 Am hynny y sorais wrth ‡genedleth honno, ac a ddoydais, Y mayntw fyth yny myned ar gam yn eu caloneu, ac nid adnabuont fy ffyrth i.

11 Ac velly y tyngais yn fynig*lloni*, Os caent wy entrio ym esmwythdra *vi*.

12 Disgwiliwch *vym*rodyr, rrac bod vn amser yn neb o honoch galon ddrwg, ac anffyddlon, y *beri* ymadel a Dyw byw.

13 Eithyr cynghorwch bawb y gilidd beunyd, tra elwer Y dydd heddiw, rrac i neb o honoch *ym*galedu trwy dwyll pechawd.

14 Can ys cyfrannawg o grist eyn gwnaythbwyt ni, os cadwn ni y dechreuad drwyr hwn eyn cynhelir y fyny, yn gyfan hyd y dewedd.

* annoc

15 Lle y doydir, Heddiw os gwrandewch i y lais ef, na chaledwch ych caloneu, megis ac yn yr *ym-ryson.

‡ gwedy clywet

16 Can ys rrai ‡ar ol gwrandaw, y hannogasont ef-y-ddigio, ac etto, nid pawb ar a ddoythan or Ayfft trwy Voyses.

17 Wrth pwy y bu ef sorredic ddeugain blynedd? onid wrth y rrai a bechasai, rrain a gwympasai eu ‡cyrff yn y diffaeth*vvch?*

* celanedd

18 Wrth pwy y tyngodd na chaent wy entrio yw 'orphoysfa *ef?* onid wrth y rrai, nyd uvyddhaent?

19 Ac ydd ym yn gweled na allent wy entrio herwydd angrrediniaeth.

Pen. iiij.

2 Bot y gair eb ffydd yn anvuddiol.   3 Sabbath neu 'orphoysfa y Christianogion.   6 Poen yr ei ny chredant.   12 *Anian gair Duw.

* *Natur*

OFNWN am hynny, rrac vnrryw amser trwy wrthod addewid entrio yw orphwysfa ef, gael ar neb o honochi foddybygu eu *ddiddymmu.

2 Can ys y ni y pregethwyd yr Evengel mal vddynt-wythe: eithr ni thykiodd vddynt wy y gair a glowid, am nad oedd wedy eu gydwascu a ffydd yn y rrai ay clywsont.

3 Nine yn wir y rrai a gredasom, sy yn entrio ir orphoysfa, megis ac ydyvod ef wrth y llaill, Val *hyn* y tyngais yn fynniclloni, Os caffant wy entrio ym gor-sswyffa: cyd bayr gwaith wedi y *berffeithio o amser gosodiad growndwal y byd.

4 Can ys am y saithvet dydd mewn man y dyvawd val hyn, Ac a orffwysawdd Dyw y seithfed tydd oddiwrth eu holl weith.

5 Ac yma drachefn, Os cant wy entrio i'm gor-phwysfa.

6 Or achos hwn gan fod hyn wedi y adael yn ol, vod rrai yn cael entrio y mewn, a' bod y rrai y pregethwyd yn gynta vddynt, heb entrio herwydd angrrediniaeth,

7 Trachefn may yn rracderfynu rryw ddydd, gan ddoydyd trwy ddavydd Heddiw, ar ol cymaint o amser, megis y doytbwyd, Heddiw o gwrandewch y lais ef, na chaledwch ych caloneu.

8 Can ys pe *Iosua fase wedi y dwyn hwyntw y 'orphoysfa ni sonniasai fe am ddydd arall ar ol hynny.

9 Ac am hynny may *rryvv‡* 'orphwysfa wedi eu adael yn ol y bobl Ddyw.

10 Can ys yr hwn a entriodd yw 'orphwysva, gor-ffwyso a wnaeth hwnw oddiwrth y weithredoedd eu hun, megis ac y *gorphoy savvdd* Dyw oddiwrth yr eiddo yntau.

11 Rown eyn bryd am hynny ar entrio ir *vnrryw orffwysfa, rrac cwympo o neb ar ol yr vn siampl o an-efyddtod.

12 Can ys byw*iol* yw gair Dyw, a' ‡nerthol ei waith, a' llymach nac vnrryw gleddau-daufinioc, ac a gyrydd hyd at wahaniad yr enaid, a'r ysbryd, ar cymalau, a'r mer, a' barnwr yw y meddyliau a' bwriadau yr galon.

13 Ac nid oes *vn* creadur anamlwg yn y olwc ef: eythr *bot* pob peth yn noeth ac egored yw lygaid ef, am y rrwn y *ddym ni yn son.

*myned ei waith yn over

*'orphen gwplau

*Iesu

‡ *Sabbatismus.*

*'orphwysfa hono

‡grymiol

*may i ni a wnelom ac ef

14 Gan fod am hynny y ni Archeffeiriad mawr, a entriodd ir nefoedd *'sef* Iesu mab Dyw, daliwn *ein afel ar* eyn proffes.

16 Can ys nid oes y ni archeffeiriad, rrwn nis dichon gydoddau an gwendid ni, namyn a tentiwyd ym hob peth yr vn modd, eithr yn ddibechawd.

‡ gadair, esteddva
* amserol, ymrhyd

16 Am hynny awn yn hy*derus* at ‡dron y gras, *val* y dderbyn*iom* trugaredd, ac y gael gras yn gymorth *temhoraidd.

Pen. v.

1 Y mae ef yn cyffelypu Iesu Christ *ac Offeiriait Leui, gan ddangos ym-pa peth y maent yn cytuno neu yn ancytuno. 11 Yn ol hyny y mae ef yn ‡argyweddu yscaelustra yr Iuddaion.

CAN ys pob Archeffeiriad o blith dynyon y cymerir *ef*, a' thros dynion y gosodir ef, yn y pethau sy tu ac at Ddyw, y offrymmu a'rrodion ac aberthau tros pechodau,

* vedr
‡ anwydodol, a'r cyfeiliornus
* ef y hun.

2 Rrwn a *wyr yn gymesurol gydsynnio cyflwr yr *ei* ‡anghyfarwydd, ar neb sy ar gam, am y fod *yntau hevyd wedi y amgylchu a gwendid,

3 Ac ir mwyn hynny y dyly trostaw y hun yr vn modd a' thros *yddo 'r* bobl offrymmu tros pechodau.

* anrydedd

4 Ac ni chymer neb yr *vrddas hyn yddo y hun ond y neb a fo Dyw, yn y alw, mal Aaron.

5 Velly Christ hevyd ni chymerawdd yddo yhun hyn o vrddas, y fod yn archeffeiriad, namyn yr hwn a ddyvod wrtho, Tydi yw fy mab i, heddiw yr enillais i dydi, *ei rhoes yddavv.*

6 Megis y may ef heuyd mewn man arall yn doydyd, Tydi effeiriad wyt yn dragwddawl, ar ol ordr Melchi-sedec.

‡ deigre
* gadw

7 Rrwn yn y dyddiau y gnawd ef a offerymmodd trwy levain a ‡dagre, weddiau ac ytolygon at yr hwn, ydoedd abl yw achub ef o ddiwrth farfolaeth, ac a wrandawyd y peth y roedd yn i ofni.

8 A chyd bay ef Vab, er hyny ef a ddyscawdd vfydd-dot, erwydd y pethau a ddioddefawdd.

9 A' chwedi eu gysegru, ef a wnaythbwyd yn audur iechid tragwyddawl ir rrai a wrandewynt:

10 Wedi eu gy*f*enwi can Ddyw yn Archeffeiriad ar ol ordr Melchi-sedec.

11 Am yr rwn may y ni lawer yw ddoydet, sy an-
hawdd y *manegi, achos ych bod chwi yn ‡fuscrell ych
clustiau.

* hadrodd,
deongl
‡ bwl

12 Can ys lle y dyleychi herwydd amser fod yn
athrawon, rraid yw drachefn ddyscu i chwi beth ydiw
*deunyddiau dechreuad ymadroddion Dyw: ac aythoch
yn rraid ywch wrth layth, ac nid bwyd ‡ffyrf.

* gwyddorion
‡ dwys, cadarn,
calet

13 Achos pawb a ym arfero a llaeth, anghynefin yw
a gair y cyfiownder: can ys maban yw yw.

14 Eythyr y bwyd ffyrf a berthyn irei oedrannus,
sef yvv ir rrai *herwydd cynefinder, sy ay synhwyr wedi
ymarver y ddosparthu *rrvvng* da a drwg.

* cynefod

Pen. vj.

1 Y mae ef yn mynet rhacddaw yny argyweddu hwy, ac yn eiriol
arnynt na ddefficiant, 12 Anyd bot dn ddianwadal ac yn
ddioddefus, 18 Yn gymmeint a bot Dyw yn ddiogel yn ei
addewit.

OR achos hwn, rrown heibio yr addysc sy yn
dechrau Christ, a *thynnwn at perffeithrwydd,
ac na 'ossodwn eilwayth growndwal y difeirwch ‡o
ddiwrth *g*weithredoedd meirwon, a' ffydd tu a Dyw.

* duger ni
‡ gan

2 O addysc y *bedyddiadau a' gosodiad dwylaw,
a' chyfodiad y meirw, a'r farn tragwyddawl.

* trochiadu

3 A' hynny a wnawn ni os Dyw ai Cannihata.

4 Can ys amhossybl ir rrai a 'oleuwyd vnwaith, ac a
‡brofasont *y rodd nefawl, ac a wnaythbwyt yn gyf-
rannawg or Yspryt glan,

‡ 'orchwaydd-
esant
* dr

5 Ac a brofason *o* ddayonus air Dyw, a' ‡rrinweddau
y byd a ddaw,

‡ meddianteu

6 Os llwyrgwympant, adnewyddy trwy edifeirwch,
gan y bod hwynt drachefn yn *rroi ar y groes vddynt
y hunain fab Dyw, ac yn y 'osod ar watwar.

* crogi, croes-
hoelo

7 Can ys y ‡ddaiar a *ddar*yfo y glaw a vo yn
mynych ddyvot arnei, ac a ddyco lyssiau addas ir rai
drwy bwy y ddys yn y *llafurio, a gymer fendith can
Ddyw.

‡ tir
* diwyll

8 Eithyr *hon* a ddyco ddrain ‡ac yscall, *am-
harchus *fydd*, a chyfagos y gael y ‡melltigo, ai di-
wedd *fydd* y llosci.

‡ drysi, mieri
* a veijr, argy-
weddir
‡ velltith

9 Eithyr *fyn*garedigion, coelio y ddydym am danoch
i bethau sy wel' no hyn, ac sy wedi y cydglymmu ac

iechid, ir yn bod ni yn doydyd val hyn.

10 Can ys nid anghyfion Dyw, mal y gollyngo tros gof ych gwaith, a'r llafur*us* gariad, a ddangosasoch yn y enw ef, yn gwneuthyr ir saint wasaneth, ac *eto* yn y *gwasneuthu.

* gweini

11 A' chwenychu ddydym ddangos o bob vn o honoch gyfriw ddiwdrwyd, ir mwyn sicerhau gobaith hyd *y* diwedd,

‡ ddiog, anescud

12 Val na bythoch ‡fuscrell, eythr yn ddilynwyr ir rrai, y sawl drwy ffydd ac ymynedd, sy yn meddiannu yr addaweidion.

13 Cans Dyw wrth wneuthyr *yr* addewid y Abraham, lle ni allai ef dyngu y neb a fai fwy, a dyngodd yddo y hun,

14 Can ddoydyd, Yn wir mi ath fendithia yn helayth, ac yn ddiandlawd yr amylhaa dydi.

15 Ac velly pan ydoedd dda i emynedd, ef a feddiannodd yr addewid.

16 Can yn *lle g*wir dynion tyngu byddant ir neb a vo mwy *nag ynhvvy hunain*, a' diwedd pob ymryson vddyntwy ydiw llw y gadarnhau.

17 Velly Dyw yn chwenychu yn helaethach ddangos y ytifeddion yr addewid ddianwadalwch y gyn gor ef, a ymrwymodd *trwy roi* llw,

* dan dwng gan lw
‡ lle may

18 Megis trwy ddau beth disymmut, ‡yn yr rrai y may yn amhossibl y Ddyw fod yn gelwyddog, y gellem gael cysur cryf, rrain ydym yn daredec y ddala yn dynn y gobaith rag-osodedic,

9 Rrwn sy cenym i, megis angor yr enaid, diogel a' chyfan, ac yn entrio hyd at y peth sy tu vewn ir llen,

* Gr. Arch

20 Ir man yr entriodd y rracflaynor trosomni, *'sef* Iesu, a wnaythbwyd yn *ben effeiriad yn tragwyddol ar ol ordr Melchi-sedec.

Pen. vij.

* i

1 Y mae ef yn comparo Offeiriadeth Christ *a Melchi-sedec.
11 Hefyt y mae ef yn cyffelypu Offeieriadeth Christ ir Leuitiet.

CAN ys y Melchisedec hwn brenin Salem ydoedd, effeiriat Dyw goruchaf, rrwn a ddoeth y gyfarfod ac Abraham, wrth yddo ddymchwelud o ddiwrth. laddfa yr brenhinoedd, ac ay bendi*gawdd ef:

* thiawdd

2 Ac yddo efe y cyfrannawdd Abraham ddegwm o
bob peth: yn gynta yn wir wrth y ddeongl *yvv* brenin
y cyfiownder: wedi hynny hevyd brenin Salem, *y dyvv*
sef yw *hynny* brenhin heddwch,

3 Heb dad, heb vam, heb genedl, nid oes yddo na
dechreu dyddiau, na diwedd einioes: eythr a gyfflybir
y vab Dyw, ac a erys yn effeiriad yn dragwyddawl.

‡ Yn ddi.

4 Edrychwch eusus faint *oedd* hwn oedd Abraham y
patriarch yn rroi degwm iddo or yspail.

5 Ar rreini yn wir sy o feibion Levi, yn derbyn
svvydd yr effeiriadaeth, may centhynt orchymyn y
gymerud, degwn gan y bobl, ar ol y gyfraeth (sef yw
gan eu brodyr) ir y bod gwedi dyfod o lwynay Ab-
raham.

6 Eythr yr hwn ni hanoedd i genhedlayth o hon-
yntwy, a ‡gymerawdd ddegwn gan Abraham, ac a fen-
digawdd yr hwn y gwneithyd yr addewid yddo.

‡ dderbyniodd

7 Ac yn ddiddadl y lleia, a *gymer-fendith can y
mwyaf.

* vendithir

8 Ac yma dynion y rrai a fyddant feirw, a gymerant
ddegwn: eythr yno *y derbyn* yr hwn y testaleithir am
dano y fod ef yn vyw.

9 Ac o ddoydyt ‡felly, yn Abraham y talodd Levi
yntau hevyd ddegwm, rrwn ydoedd ar ol a chymeryd
degwm.

‡ val y mae'r
peth

10 O blegyt eto yn llwynau eu dad *Abraham* rydoedd
ef, pan gyfarfu, Melchi-sedec ac Abraham.

11 Os ydoedd gan hynny perffeithrwydd trwy offeir-
iadaeth Leui (oblegid can honno y sikerhawdd y gyfraith
ir bobl) pam raid ymhellach no hynny, godi effeiriad
arall, ar ol ordr Melchi-sedec, nis gelwid ar ol ordr
Aaron?

12 O blegid yn wir wedi newidiaw yr effeiriadaeth,
rraid oedd fod newidiad ar y gyfraith hevyd.

13 O blegid am yr hwn y doydir hyn, ef a berthyn
y lwyth arall, or rrwn ni does neb yn gwasneuthu yr
allor.

14 Can ys ysbys yw, may o Iuda y may yn har-
glwydd *ni* yn dyvot, am y llwyth hwnw ni ddyvod
Moses ddim tu ac at yr effeiriadaeth.

15 Ac etto chwaneg o ysbysrwydd, gan godi effeiriad
arall ar ol cyfflybrwydd Melchi-sedec,

* antervynol,
  diddiwedd

16 Rrwn nid wrth gyfraith y gorchymyn knowdol y gwnaythbwyd *yn offeiriad*, eythr wrth power y bowyd *didranc*edic.

17 O blegid y may yn testlauthu *val hyn*, Tydi effeiriad *vvyt* yn dragwyddol, ar ol ordr Melchi-sedec.

‡ Gr. athetesis
  y ddatdodwyt,
  ddirymiwyt
* wan

18 Can ys y gorchymyn oedd or blaen ‡sy wedi y symudo, am y fod yn *ddiffrwyth, ac yn ddibroffit,

19 Can ny wnaeth y gyfraith ddim perffeithrwydd, namyn dyvodiad y gobaith gwell *a berffeithiodd*, drwy yr hwn y ddym yn nesau at Ddyw.

20 Ac yn gimaint nas byddid heb lw (o blegid hwynt wy o ddieythyr llw y gwnaythbwyd yn effeiriaid:

21 A' hwn, *efe a vvnaethpvvyt* a llw gan yr hwn a ddywod wrtho, Yr Arglwydd a dyngodd, ac ni bydd edifar cantho, Ti ydwyt effeiriad yn dragwyddol, ar ol ordr Melchi-sedec)

‡ Dygymot
  Ammot

22 Ar ‡Destament gwell o aros hynny y gwnaythbwyt Iesu yn vach*niaeth*.

23 Ac wynt wy llawer o honyn a wnaid yn effeiriaid, achos nas goddefay marfolaeth vddynt aros.

24 Eithyr hwn, am y fod ef yn perhau yn dragowydd, may iddo ef effeiriadaeth tragwyddol.

25 Am hynny fe ddychin hefyt yn llwyr iachau yr rai a ddawant at Ddyw trwyddo ef, gan y fod ef yn byw fyth, y gyfrwng-weddiaw trostynt.

* gwar
‡ anhalogedic

26 O blegid cyfryw Archoffeiriad oedd weddus y ni y gael, *ysy* *santaidd, diddrwg, ‡dilwgr, wedi y neilltuo oddiwrth pechaduriaet, ac wedy i wneuthur yn uwch nor nefoedd:

27 Yr rrwn nid *oedd* rraid yddo beunydd, megis ir effeiriaid hyny: yn gynta trostynt y hunain offrymu aberthau tros pechodau, wedi hynny tros *pechoteu* y bobl: cans hynny a wuaeth ef vnwaith, pan offrymmodd ef y hun.

* Twng

28 Can ys y gyfraith sy yn gosod dynion yn archoffeiriaid, ac anallu arnynt: eithyr gair y *Llw yr hwn a vu gwedy y Gyfraith, *a vvna* y Map, yr hwn, a gyssecrwyt yn dragyvyth.

Pen. viij.

‡ pryfo

6 Y mae ef yn ‡provi yn gystal ddarvot diley Offeiriadeth y Leuiteit, a'r hen Ddygymbot y gan ysprytawl a' thravythawl

Offeiriadaeth Christ,   8 Ac wrth y Dygymbot newydd.

EITHR swm yr hyn a ddoytbwyd yw hyn, fod y ni
gyfriw archeffeiriad, rrwn a eistedd*avvdd* ar ddehan
tron y mawredd yn y nefoedd,

2 Gwasnaythwr y cyssegr*fa*, a'r gwir *dabernacl a
osodes yr Arglwydd, ac ni*d* dyn.   * peboll, llu-
                                                                est', tent

3 Can ys pob archeffeiriad a osodir y offrymmu
rrodion ac aberthau: ac am hyny y ddydoedd rraid,
bod can hwn hefyt beth yw offrwmu.

4 O blegid petfai ef ar y ddayar, ni byddei yn effeir-
iad chwaith, gan fod effeiriad sy yn offrymu rroddion ar
ol y Ddeddyf,

5 Rrain sy yn gwasneuthu portryad, a chysgod
pethau nefawl, megis or nefoedd yr attebwyd y Voyses,
pan oedd yn amcanu gorphen y tabernacl.   Edrych
hagen, heb ef, ar wneuthyr o honoti bob peth ar ol y
‡portryat a ddangoswyd yti yn y mynydd.   * Gr. typon
                                                                ffurf

6 Eithr yn awr ir ayth *yn archeffeiriad ni* a swydd
mwy rragorawl, o gimaint ac i may yn gyfryngwr
*Testament gwell, rrwn sy wedi y 'osod ar addaweidion   ‡ Ambot,
gwell.   dygymbot

7 O blegid yn wir ped fiase y *Testament* cyntaf
hwnw yn ddifai, ni cheisiesid lle ir ail.

8 Can ys yn beio arnuntwy y dowaid *ef*, ‡Nycha   ‡ Wele
y daw*ant* y dyddieu, medd yr Arglwydd, pan 'or-
ffennwy fi a thy Israel, ac a thy Iuda Destament   * Ambot
newydd:

9 Nid ar ol y Testament a wneuthym i ay taday
hwynt, yn y dydd yr ymeilais i yn y llaw hwynt, yw
dwyn o dir ir Aipht: can ys ni thrigasont wy yn y
*Testament mau fi, a minau ay eskeulusais hwynt,   ‡ Ambot
medd yr Arglwydd.

10 O blegid hwn yw yr *Testament a wnaf a thy   * Ambot
Israel, ar ol y dyddiau hynny, medd yr Arglwydd,   Dygymbot
myvi a ddoda fyngyffreithiau yn eu meddwl, ac yn y
calonau yr yscrivenaf, a' mi a fydd y Dyw hwynt, ac
wyntwthe fyddant fymhobl inau,

11 Ac ni ddysc pop vn ei *gymydawc, a' phop vn   * gyfnesaf
ey frawd, gan ddoydet, Ednebydd yr Arglwydd, o
blegid hwynt am ednabyddant i *y gyd* oll, or lleiaf o
hanynt hyd y mwyaf o honynt.

12 Can ys mi fydda drigaroc wrth y enwiredd hwynt, ac wrth eu pechodau, ac ni wna coffa am eu enwiredd hwynt mwy.

13 Lle may ef yn doyded *Testament* newydd, may yn bwrw heibio yr hen, velly yr hyn a roir heibio ac a heneiddio, may yn agos y ddiflanu.

Pen. ix.

1 P'odd y dylëir ceremoniae ac ebyrth y Ddeddyf, 11 Can dra gyvytholdap a' pherffeithrwy ddaberth Christ.

AM hynny yn wir rydoedd hevyd ir *Testament* cynta deddfawl grevydd, a' chyssegr*fa* bydawl.

2 O blegid y *Tabernacl oedd wedi y gwneuthyd y gyntaf, yn yr hwn y roedd y canwyllbren, a'r bordd, ar bara dangos, *rhvvn dabernacl* a elwid y lle sanctaidd.

3 Yn ol yr ail llen *yr oedd* y Tabernacl, 'rhwn a elwid y ‡santeiddiaf oll,

4 Llei roedd y senser aur, ac arch y Testament wedi y goreuro oi hamgylch, yn yr hon *yr oedd* y krochan aur ar manna yntho, a' gwialen Aaron, rron a vlagurasei, a thablay y Testament.

5 Ac uwch yr arch y Cherubym gogoneddus, yn kysgodi y drigareddva: am yr rrain ni dawn ni yn awr i son am danyn bob vn or neiltu.

6 Wedi gosod yr rrain mewn ordr y sut yma, ir Tabernacl cynta yn wir y rai bob amser yr effeiriad, sy yn gwasneuthu yr creuydd.

7 Ir ail yn wir y rai vnwaith bob blwyddyn yr archeffeiriad yn vnig, nid heb waed rrwn a offrymmay ef trosto y hun, a thros anwybodaethe y bobl.

8 Yr ysbryd glan yn arddangos hyn, nad oedd y ffordd ir cyssegrfa yn egored etto, tra fyddai y Tabernacl cynta yn sevyll,

9 Rrwn ydoedd ffygur tros yr amser *kydrychol, yn yr hwn ir offrymmid rrodion ac aberthau rrai ni allen ‡lanhau, ar ran cydwybod, yr hwn a wasnaythe'r-*crefydd,

10 Rrwn oedd wedi y 'osod yn vnic mewn bwydydd a diodydd, ac amryw ‡drochiaday, a *Deddfay cnowdol, hyd oni ddele amser y dywygiad.

11 Eythyr Christ yn dyfod yn archeffeiriad y dayoni rrag llaw, trwy dabernacl fwy a' pherffeithiach, nid o

waith *dvvy* llaw, sef yw hynny nid or edeiladeth ‡yma,   ‡ hyn

12 Nid chwaith trwy waed *geifr a lloi*au:* eithr trwy y waed y hun i raeth ef vn waith y mewn ir cyssegr*fa*, ac a *gavas 'ollyngdod tragywyddol *yni.*   * bwrcasodd

13 O blegid os gwaed teirw, a' geifr a lludw ‡heffr, wedi y danu ar y *llygredigion, a deilynga ar ran puredd y knawd,   ‡ anneir, treisiad   * aflan

14 O ba vaint mwy, y pura gwaed Christ, rrwn trwy yr Ysbryd tragowydd ay offrymmawdd ef y hun yn *ddifai y Ddyw, ych cydwybod chwi, o ddiwrth veirwon weithredoedd, y wasneuthu Dyw byw?   * ddivagul ddiargywedd

15 Ac am hynny y may ef yn gyfrwngwr, y Testa ment newydd, megis trwy farfolaeth rron oedd ir gollyngdod y camweddau *oeddent* tan y Testament cyntaf, y derbyniay yr rrai oedd wedi eu galw, addewid yr etyveddieth tragwyddawl.

16 O blegid lle bo Testament, rraid yw *digwyddo marfolaeth ‡y testamentwr.   *Yr Epistol ar ddie merchur cyn y Pasc.* * bot

17 Can ys or meirw y cayff y testament eu 'rymm: achos ni does nerth yntho tra vo byw y *testamentwr.   ‡ yr hwn a wnaeth y testament y cymunwr

18 Ac wrth hynn ni ‡chysegrywdd y cyntaf heb waed.

19 Can ys pan ddarffai i Voyses *drauthur gorchymyn y gyd achlan ir holl bobl, ‡wrth y gyfraith, ef gymerai waed lloi*au* a' geifr, cyd a gwlan pwrpwlac ysop, ac ai taynellei ar y llyfr, a'r bobl oll,   * cymunwr ‡ ordinwyt * lafaru, ddywedyd, adrodd ‡ yn ol y gyfraith

20 Gan ddoydyd, hwn yw gwaed y Testament, rrwn a orchmynawdd Dyw y chwi.

21 Heb law hynny, taynellu hevyd awnay ef y Tabernacl a holl llestri'r gwasanaeth a gwaed.

22 A' phob peth *gan mwyaf ar ol y gyfraith trwy waed y purir *hvvynt,* ac heb ollwng gwaed nid oes maddeuant.   ‡ hayach

23 Am hynny angenrreidiol ydoedd y ‡bortreiadau y pethau sy yn y nefoed gael y puro ar pethau hyn: y pethau nefawl y hunain *a burit* ac aberthay gwell nor rrain.   * cyffelypiaetheu

24 Can ys nid ir cyssegr*fa* o waith llaw ir aeth Christ y mewn, rrwn sydd *bortreiad ir gwir *cyssegr:* eithr *ef aeth* ir nefoedd y ymddangos yn awr yn golwc Dyw trosom ni,   * gyffelypiaeth

15 Ac nid yw offrymu y hun yn fynych, mal y may

‡ arall

yr archeffeiriad yn myned y mewn ir cyssegr*fa* bob
blwyddyn a chantho waed ‡dierth.

26 (O blegid velly y biase raid iddo ddiodde yn
fynych o ddechreuad y byd) eythr yn awr vnwaiih yn

* yr oeseu
‡ wyd
* ddileu, doddi

diwedd *y byd ir ymddangos‡es ef y ddif*l*annu pechod
trwy y aberthu y hunan.

17 Ac megis ac y gosoded hyn y ddynion farw vn-
waith, ac yn ol hynny *bot* barn,

28 Velly Christ hevyd a aberthwyt vnwaith y doddi
pechodeu llawer, yr ail waith heb ddim pechod ir ym-
ddengis ef ir rrai sy yn y ddiscwyl, ir iechaid *yddynt*.

Pen. x.

* 'lanhau

1 Nyd oedd ir hen Ddeddyf ddim meddiant i *garthu pechot.
10 Eithr Christ ei gwnaeth gan aberthu ei gorph vnwaith dros y
cwbl. 22 Eiriol ar dderbyn daioni Dyw yn ddiolchgar gan
ddyoddefgarwch a' ffydd 'oystatol.

*Yr Epistol ar
ddie gwener y
croclith.
* Gr. eicon
‡ 'lanhau*

OBLEGID y gyfraith rron y may kenthi gyscawd
y pethay da a ddaw rrag llaw, ac nid *gwir-ddelw
y pethau, ni ddichin vyth ‡deilyngu y devodiaid drwy
yr vnrrywaberthay hyny, rrain y byddant o flwyddyn
bigilidd yn ystig yn y offrymu.

2 Pe na bai felly oni pheidiesent wy ac offrymu, am
na biase yn awr ddim cydwybod pechod o *ran y rrai
a offrymasent, ac a buresid hwynt vuwaith?

3 Eithr yn yr *aberthe* rreini y bydd bob blwyddyn
adcoffa pechodau.

‡ ddeley, doddi

4 Can ys ni ddichin gwaed teirw a' geifr ‡dynnu
ymaith pechodau.

* yr ordein-
iaist vi

5 O achos pam ac ef yn dyvod ir byd, y dowaid,
Aberth ac offrwm nis mynaist: eythyr corph *a bar-
atoisti y myfi.

6 Abertheu poethion ac aberth *tros* bechawd ni bu
gymeradwy cenyt.

‡ dechreu

7 Yno y doydais, Wele fi yn dyvot, (Y may yn
escrifennedig ym ‡pen *cyntaf* yr llyfr am danaf) y
gwnafi dy wollys di, Ddyw.

8 Wedi yddo ddoydyt vchod, Aberth ac offrwm, a
phoeth-aberthay, ac offrwmay tros pechawd nis myn-
aist, ac nis derbyniaist, (rrain a offrymmir wrth y
gyfraith)

9 Yno y dywod ef, Wele fi yn dyfod y wneuthyr dy

wollys di, Ddyw, may y yn *tynnu ymaith yr cynta, ir   * dodi heibio
mwyn gosod ‡y diwaytha.   ‡ yr ail

10 Drwy yr hwn wollys, y ddydym wedi yn sant-
eidio, *ys* trwy ‡offrymiat Corff Iesu Christ *a vvnaed*   ‡ aberthiat
vnwaith.

11 Am hyny pob effeiriad sy yn sefyll gar bron
beu nydd *yn cyflownir-crevydd, ac yn offrymnu yn   * *Gr. leitur-*
fynych yr vn ‡aberthau, rrain ni ddichin fyth dynnu   *goon*
ymaith pechodau: ‡ offrymeu

12 Eithr hwn yma gwedi darfod, yddo vnwaith
offrymmu aberth tros pechodau, yn dragwyddol sy yn
eistedd ar y llaw ddeau *i* Ddyw,

13 Gan aros yr hyn sy yn ol, *'sef* hyd oni bo y elyn-
ion ef wedi y gwneithur yn fainc yw draed ef.

14 Can ys ac ‡vn offrwm y perffeithiodd ef yn   ‡ vnic
dragwyddol y rrai sy wedi y santeiddio.

15 Testlaythy yn wir a wna yr ysbryd glan y ni
hevyd: can ys ar ol iddo ef ddoyded ymlaenllaw,

16 Hwn yw 'r *Testament rrwn a ammodafi ac wynt   * Dygymbot,
ar ol y dyddiau hyny, medd yr Arglwydd, Myfi a'   Ambot
osodaf fyngyfreithiau yn eu calonau, ac ay escrifena
yn y eu meddiliau.

17 Ac y pechodau ay enwiredd hwynt nid atcoffaa
mwy,

18 Velly lle bo maddeuant y rrain, ni bydd mwy
offrwm tros pechawd.

19 Am hyn vrodyr, can fod y ni rydit y fyned y
mewn yr cyssegr drwy waed Iesu

20 Rryd y ffordd a gysegrodd ef yni yn newydd ac
yn fyw, trwyr llenn sef yw trwy y gnawd ef:

21 *A chan vod yni* *archoffeiriat, yn rreoli ty Ddyw,   * offeiriat
                                                            mawr
22 Nesawn a chalon gowir a sicerwydd ffydd, we di   ‡ bro
puro yn caloneu oddiwrth cydwybod drwg, a golchi
ein corff a dwr glan.

23 Cadwn ‡gyffes *ein* gobaith, yn ddianwadal (can
ys ffyddlon yw'r hwn a addawodd)

24 A' chydystyriwn bawb y gilidd, herwydd annoc
cariad, a' gweithredoedd da,

25 Ac na wrthodwn eyn cydgy*nulleidfa, megis y   * deithas
may arfer rrai: eithr *ym*gynghorwn, a hynny yn fwy, o
aros ych bod yn gweled y dydd yn nesau.

26 Can ys os yn wollyscar y pechwn i ar ol derbyn

* arrwydus ofnus
‡ beidrwydd, diglllon
* ddaw

‡ vysing
* sancteiddiwyt
‡ vychano

* arswydus
‡ yn llaw

* vysdrych,
‡ vugelrres

* ymdiriet

* lled-tynu

* *Gr. hypostasis, ousia,* gosail, drychiat, hanvot

gwybodaeth y gwirionedd, ni does mwy aberth wedi y adel tros bechode,

27 Eithr *horribil ddiscwyl barn, a' than‡drud, yr hwn *a vydd y yssn'r gwrthnebwyr.

28 Yr hwn a dorho cyfraith Voyses yn ddidrigaredd tann ddau, neu dri o dystion y gorfydd yddo farw.

29 Pa faint dybygwchi mwy dialedd y bernir hwnw a ‡sather tan draed fab Dyw, ac a farno yn anlan waed y Testament, trwyr hwn y *teilyngwyd ef, ac a ‡dremygo Yspryt y gras?

30 Can ys ni adoynom y neb a ddywedodd, Myfi *pieu* dial*edd:* myfi a dal y pwyth, medd yr Arglwydd. A' thrachefn, Yr Arglwydd a farna eu bobl.

31 Peth *ofnus yw cwympo ‡y law Dyw byw.

32 Gelwch bellach ich kof y dyddiau ayth heibiaw yn yr rain, wedi ywch dderbyn goleuni y goddefasoch vrwydr mawr ac adfyd*au,*

33 Tra ddygid chwi allan weithiau trwy wradwyddeu a gorthrymdereu, y fod yn *ddrych*ioleth,* weithiau yn wir tra wnelid chwi yn gymedeithion ir rrai a fyddynt yn ymdrino sut hwnw.

34 Can ys am fy rrwymay y royddych yn cydolurio a mi, ac a gymerasoch yn llawen yspeil*fa* ych da, megis rrai a wyday fod ywch ynoch ychun *golud* gwell, sy yn y nefoedd, ac yn parhau.

35 Am hynny na fwriwch y ffordd ych *hyder sy fawr eu *gobrvvy.*

36 Can ys rraid ydyw y chwi wrth ymynedd, mal y galloch wedy darffo ywch wneuthyr wollys Dyw, dderbyn yr addewid.

37 O blegid etto ychydigyn *bychan* bach, ac fo ddaw yr hwn sy yn dyvod, ac ni thrig.

38 Sef y kyfion trwy ffydd y bydd byw, eithr o kilia neb, yr enaid mau*vi* ni bydd bodlon iddo.

39 Eithr ni dydym ni rrai sy yn ‡cilio y golledigaeth, namyn sy yn credu herwydd cadwadigaeth yr enaid.

Pen. xj.

1 Pa yw ffydd, a chanmolieth yr vnryw. 9 Eb ffydd ny allwn ni rengu bodd Dyw. 16 Dwys grediniaeth y tateu yn y cynvyt.

FFYDD yn wir, yw *ffyrfder y pethau a obeithir, ac egluriat ar y pethau nis gwelir.

2 O blegid trwyddi hi yr enillason yr henafiaid air da.

3 Wrth ffydd y ddym yn dyall wneuthyr y byd trwy 'air Dyw, ac nid o ddim ar oedd yn ymddangos y gwnaythbwyd y pethau y ddym yn y gweled.

4 Drwy ffydd ir offrymmodd Abel y Ddyw aberth ‡vwy no Chayn, trwy'r hon yr enillodd dyst y fod yn gyfion, Dyw yn testlauthn am y roddion ef, a' thrwyr *ffydd* hon wedi marw, y may etto yn ymddiddan. ‡ amplach

5 Trwy ffydd y cymerwyt Enoch ymaith, rrag gweled ange: ac ni chad ef: am ddarfod y Ddyw y gymeryd ef ymaith: eithr cyn y gymeryd ef ymaith, ef a gowser gair, y fod yn bodloni Dyw.

6 Eithr heb ffydd ni ellir y fodloni *ef:* o blegid credu sydd rraid ir neb a ddel at Ddyw, y fod ef, ay fod yn 'obrwywr irrai a ymgais ac ef.

7 Noe wedi y Ddyw y rebuddio am y pethau nis gwelsid etto, yn llawn o *referens, a ddarparhaodd long y achub eu deulu, trwy'r hon *long* y barnodd ef ar y byd, ac a wnaythbwyd yn ytifedd ir cyfiawnder sy o ffydd. * barch

8 Drwy ffydd gwedi galw Abraham, yr vfyddhaodd *y Ddyvv,* y fyned ir man, a gay ef ryw amser yn tretad, ac ayth y ffordd, heb wybod y ble y roedd yn myned. ‡ ydd elei

9 Trwy ffydd yr aroſawdd ef yn tir yr addewid, megis yn lle dierth, ac y trigodd mewn lluestai gidag Isaac ac Iaco, cydytifeddion yr vn rryw addewid.

10 Can ys discwyl y rydoedd am ddinas ac iddi sail, Saer ac edyladwr yr hon, *yvv* Dyw.

11 Trwy ffydd Sara hithau a dderbyniodd nerth y ymddwyn had, ac a hiliodd wedi amser oedran, am y bod hi yn barnu yn ffyddlon yr hwn a addowſay.

12 Ac herwydd hynny o vn a hwnw yn awr wedi marweiddio y ganed *epil, cynniuer* a ser yr wybr mewn rrifedi, ac megis y tyvot aneirif ar 'lann y mor.

13 Mewn ffydd y bu farw y rrain oll, heb dderbyn yr addaweidion, eithr o bell y gweled hwynt, ai credu, ay cymeryd hwynt yn ddiolchys, a chyfaddef y bod yn bererinion ac yn ddieithred ar y ddayar.

14 Can ys y rrai 'sy yn doydyt hyn, ysbys yw y bod hwynt yn keisio gwlad.

15 Pe biasentwy fyddylgar am *vvlad* y doythant y

* hamdden

maes o hani, wynt a gowson *amser y ddymchwelyd.

16 Eithyr yn awr *gvvlad 'sy* well y mayntwy yn y chwenychu, sef yw nefawl: achos pam nid quilidd can Ddyw y hun y alw y Dyw hwyntwy, o blegid paratoi a wnaeth ef ddinas yddynt.

17 Trwy ffydd yr offrymodd Abraham Isaac, pan fu braw arno, ay vn mab a offrymodd yr hwn a dderbyniase yr addaweidion.

‡ hil, epil

18 (Wrth yr hwn y doydesid, Yn Isaac y gelwir y ti ‡had)

19 Ystyrio a wnaeth ef y galle Ddyw *y* gyfodi *ef* o feirw: or lle y derbyniawdd e fe hefyt ar ryw gyfflybrwydd.

20 Trwy ffydd y bendithiawdd Isaac *ei vap* Iaco ac Esau, am y pethe a ddele rrag llaw.

* bendithiodd

21 Trwy ffydd pan oedd Iaco yn marw, y *rroes fendith y bob vn o veibion Ioseph, ac *ai bvvys* ar ben eu ffon, yr addolawdd *ef Ddyvv*.

22 Trwy ffydd pan oedd Ioseph yn marw, y coffaodd am ymadawiad plant Israel, ac a roes 'orchymyn am eu escyrn.

23 Trwy ffydd pan aned Moses, y cuddiwyd ef drimis can eu rieni, achos y bod yn y weled yn fachcen tlws, ac nid ofnesont orchymyn y brenin.

‡ *Gr. megas*

24 Trwy ffydd Moses gwedi mynd yn ‡fawr, a wrthodes y alw yn vab mecrh Pharao,

* hyfrydwch

25 Yn ddewisach cantho 'oddef adfyd gid a phobl Ddyw, no chael *mwyniant pechawd tros amser,

26 Yn barnu yn fwy golud dirmig Christ no thresawr yr Aifftvvyr: can ys edrych y ddoedd ef ar taledigaeth y gobrwy.

27 Trwy ffydd y gadewis ef yr Aifft, heb ofni ffromder y brenin: cyfryw ydoedd y emynedd ef, a phe biase ef yn gweled y neb sydd anweledig.

28 Trwy ffydd y gwnaeth ef y pasc, a gollyngiad y gwaed, rrac ir hwn ydoedd yn dianyddu y genedigon cynta, gyfwrdd ac wynt.

29 Trwy ffydd yr aythont trwyr mor coch megis trwyr *tir* sych, rrwn pan brovasont yr Aifftied wneuthr, boddi a wnaythont.

30 Trwy ffydd y cwympasont cayray Iericho wedi y compasu hyd saith diwrnodd.

31 Trwy ffydd ni *ddihenyddwyd Ra*h*ab y puttain gidar rrai ni buon vfydd, pan dderbyniodd hi yr espiwyr yn heddychol.

32 A pheth mwy a ddoydaf? can ys yr amser a ddyffygiay y mi y fenegi am Gedeon, am Barac a' Samson, a' Iephte, am ddafydd hevyd, a' Samuel, ar prophwydi:

33 Rrain trwy ffydd a orescynasont tyrnasoedd, a wnaythant gyfiownder, a freiniasont yr addeweidion, a stopiason fafnay'r llewod,

34 A ddiffoddason ‡angerth y tan, a ddianghason rrac miny cleddyf, o wendid a ymnerthasawnt, ac aython yn ddewrion yn y frwydr, ag a ddymchwelasont ar gil vyddinay yr estronion.

35 Gwragedd a *dd*erbyniasont eu meirw gwedi eu codi yn fyw eilwaith: eraill a ddirdynnwyd, heb vynnu ei ymwared, fal y gallentwy gael ailgyfodiat a fai well,

36 Ac eraill a gaynt y profi trwy watwaray ac yscyrsiau, ie trwy rwymay a' charchary.

37 Y llabuddio a gowson, y *dryllio a wnaed, y tentio a wnaed, o angayr cledddef y buon feirw, crwydro y buon mewn crwyn defaid a geifr, yn ddiddym, a chael gorthrymder, a ‡bod yn ddrwc wrthynt:

38 Rrain ni haydder byd eu cael: crwydro yr oeddent yn y diffaythay ac yn y mynyddoedd, mewn *tyllay, a gogofydd y ddayar.

39 Ar rrain y gydoll wedi heuddu testioleth trwy ffydd, ni ‡freiniasont yr addewid,

40 Dyw yn rragweled peth gwell am danomi, val na theilyngid hwynt heibom ninay.

Pen. xij.

1 Annogeth y vot yn ddyoddefus ac yn ddianwadal mewn trwbl ac advyt, ar 'obaith cael gwobr tragybythawl. 25 *Cymendawt y Testament newydd uchlaw yr hen.

OBLEGID hynny, ninay hevyd can fod kimaint kwmwl testion wedi yn amgylchu ni, bwriwn heibio bob trymfaych, ar pechawd sy barawd i hyny yn amgylch: rredwn yn 'oddefus yr yrfa a osoded y ni

2 Gan edrych ar Iesu *pen twyog a gorphenwr yn ffydd ni, rwn ‡yn l'e llywenydd a osodid yddo, a ddioddefodd y *groes, ‡heb prisio ar y dirmig, ac a eis-

* chollwyt, ddarvu am

‡ nerth

* trychu

‡ Gr. cacochumenoi

* ffayeu

‡ dderbyniesont

* Canmolieth

* Gr arch-
‡ gan, obleit
* groc
‡ a ddirmygodd y cywilydd

teddawdd ar y llaw ddeau y eisteddfa Dyw.

3 Ystyriwch am hynny pwy ydiw r *neb a ddioddef-
awdd gyfriw ddoydet yn eu erbyn can pechadurraid,
rrag ych blino wedi deffygio yn ych meddyliay:

4 Ni wrthladdosochi etto hyd at waed, yn ‡ymryson
yn erbyn pechawd.

5 A gollwngesoch tros co y *cyngor, y sy yn y
ddoyded wrthych megis wrth plant, Vy mab, nac
eskulusa cospedigaeth yr Arglwydd, ac na ‡laysa pan
gerydder di gantho.

6 Can ys *y neb a garo yr arglwydd, ef ay cospa:
ac a skwrsio a wna ef pop map a *dde*rbynio.

7 Os goddefwchi gospedigaeth, megis y feibion y
may Dyw yn ymgynig ywch: can ys pa fab ‡fydd nas
cospo eu dad ef?

8 Eithr os heb gospedigaeth yddych, o’r *hon y may
pawb yn gyfrannog, gan hynny meibion ‡aill ydych ac
nid meibion *o briod*.

9 Heb law hynny taday yn kyrff ni, cael a wneym yn
cospi canthynt wy, ay perchy a wnaythom: onid mwy
o lawer y may y ni ymostwng i dad yr yspryday, a
chael byw?

10 Can ys hwyntw yn wir tros ychydig ddyddiau an
cospay ni val y bay dda canthynt: eithr ‡hwn *an copai*
ir lles y ni, ir mwyn y ni cael cyfran oy santeid-
rwydd ef.

11 Nid chwaith hyfrydwch y gedir pob rryw cosp-
edigaeth tros *yr amser cydrychol, eithr anhyfrydwch:
etto wedi hynny, heddychol ffrwyth cyfiownder a ddyry,
ir rrai a font yn arferol a hi.

12 Or achos pam derchefwch *eich* dwylaw ys wedy
llaysu, ar gliniay gwenion.

13 A gwnewch lwybray vnion ich traed, rrac mynd
yr hyn ’*sy* glof, oddiar y ffordd, namyn yn hytrach
iachaer ef.

14 *Dilydwch heddwch *gyd* a phawb, a’ santeidd-
rwydd, heb yr hwn ni wyl neb yr Arglwydd.

15 Disgwiliwch, rrag deffygio o neb oddiwrth *gras*
Dyw: rrac ‡braguro o ryw wreiddin chwerwder y *beri*
aflonyddwch *yvvch*, a’ thrwy hwnw *llygru llawer.

16 Na fid vn putteiniwr, neu ‡anlan megis Esau,
rrwn am ddryll o fwyd a werthodd fraint eu enedig-

* hwn

‡ ymdrech,
 ymwan

* dyhuddiant

‡ ddeffigia,
 ymellwng

* yr hwn

‡ yw

* hyn
‡ o ordderch,
 llwyn a’ pherth,
 bastardieit

* efe

‡ cynnyrch,
 cydrychioldep

* Dilynwch,
 canlynwch

‡ bla-
* halogi
‡ aflan

aech.

17 Can ys chwi a wyddoch mal wedi hynny hevyd pan fynase ef gael y fendith trwy dretadawl gyfraith, y gwrthodwyd ef: o blegid ni chafos ef gyfle y edifeirwch, ir y fod trwy *ddagre yn keisio *yr fendith hono.   * ddaigre

18 O blegid nid at y mynydd teimledig, y nesayasoch, ar tan poeth, ar cwmwl ar tywollwg, ar dymestl,

19 ‡A' sain y corn, a' llef y geiriau, rrhon yr rai ay   ‡ Na clowsant, a ymyscusodason, ir mwyn na ddoydid y gair wrthyntw mwy.

20 (O blegid ni ellyntwy odde yr hyn y roiddid yn y orchymyn, pe rron y 'nifail a chyfwrdd ar mynydd, y labyddio a wneir, neu y frathu trwyddo a gwayw:

21 Ac mor aruthr ydoedd y golwg oedd yn ymddangos, ac y dyvod Moses, Y ddwy yn ofni ac yn crynnu.)

22 Eithyr nesau a wnaythoch at fynydd Syon, a dinas y Dyw byw, Caerselem nefawl, a chwmpeini ‡milfrydd o angylion,   * myrddion, aneirif

23 A' chynilleidfa y blaen anedig*olion*, rrain a ys-crifenwyd yn y nefoedd, a Dyw browdr ‡pob peth, ac   ‡ pawp, oll yspryday yr rrai cyfion perffeith,

24 Ac at Aesu cyfrwngwr y Testament newydd, ac at waed y taynelliad, sy yn doydyt pethau gwell *no   * nog vn *gvvaed* Abel.

25 Edrychwch nad eskeulusoch ‡y neb sy yn doy-   ‡ yr hwn dyt: o blegid os hwyntw ni ddianghasont rrain ay gwrthwynebasant ef, y doedd yn doydyt ar y ddayar: mwya oll *nas diangvvn* ni, os *gwrthnebwn ‡y neb sydd   * trown ywrth yn *doydyd* or nefoedd.   ‡ yr hwn

26 Llef yr hwn a yscydwodd y ddayar, yn awr hagen rrybuddio a wnaeth, gan ddoydyt, Etto vnwaith yr yscydwa, nid yn vnig y ddayar, eithyr y nefoedd hevyd.

27 Yr Etto vnwaith hynny, sy yn arwyddocau treigl-ad y pethau ansafadwy, megis *gwaith llavv* val y trico y pethau safadwy,

28 Am hynny gan yn bod ni yn cymered attom tyrnas, ni ellir y scydwyd, ymaylwn yn y gras, drwyr hwn y gallom wasneuthy Dyw, yn y modd ac y bo bodlon cantho, trwy barch ac ofn-crefyddus.

29 O blegid yn Dyw ni *ys*-tan *trauledig yw.   * yn ysu, yn difa

Pen. xiij.

1 Y mae ef yn ein ano*t* i gariat, 2 I gadw tuy ir tlodion, 3 I veddw^l
am gyfryw rei ac a vont mewn advyt.   4 Ar ddal gyd a phriodas·
5 Ar ymogelyd ywrth cupydddot.   7 Ar wneuthur yn vawr or eⁱ
vo yn precethu gair Dew.   9 Ymogelyd rrac dysceideth ddieithr·
13 Bot yn voddlon y ddyoddef cerydd y gyd a Christ.   15 Bot yn
ddiolchgar y Ddew,   7 Ac yn uvydd in llywyawdwyr.

* parhaed

‡ yd

* Anrydeddus

‡ dihalog

* arwain,
  tywys, golygu

‡ beth vu

* y ni

‡ cyssegr

* ys

CARIAD broduraidd *triged.
2 Na ollyngwch tros gof roddi lletty-*i ddiethred:*
can ys trwy hynny ‡ir erbyniodd rrai yn ddiarwybod
Angylion yw tai.

3 Meddyliwch am y rrai sy mewn rrwymay, val pe
baech yn rrwym gidag wynt: ar rai y ddydis yn y
drygu, val pe ych *drygid* ych hunain yn y corph.

4 *Vrddasawl *yvv* priodas ym hob dyn, ar gwely
‡dilwgr: eithyr y putteinwyr ar ei godinabus Dyw ay
barn*a*.

5 Bid digybydd ych ymwreddiad, ac ymfodlonwch
ac y sydd tan ych llaw, cans ef a ddyvod, ni phallaf yti,
ac nis gadawa di chwaith:

6 Hyd val y gallom ddoydyt yn hy, Yr Arglwydd
ysy yn gymhorth ym, ac nid ofna beth a wnel dyn ymy.

7 Meddyliwch am ych *preladiaid, rrain a drayth-
ason i chwi air Dyw: calynwch y ffydd hwynt, trwy
ystyr ‡pa vn yw diwedd y ymwreddiad hwynt.

8 Iesu Christ doy, a heddiw, yr vn hefyt *ysydd* yn
dragwyddol.

9 Nedwch ych dwyn o amgylch ac amryw, ac a
dieithyr ddysceidiaythay: can ys da ydiw cadarnhau yr
galon a gras, ac nid a bwydydd, rain ni thyciasont ir
rrai a fu yn ymarfer ac wynt.

10 May ‡kenymi allor or hon ni does audurdod
yddyntwy y fwytta rrai sy yn gwasneuthur yn y
Tabernacl.

11 Can ys yr enifeilaid gwaed yr rrain a ddwg yr
archeffeiriad ir ‡santeiddle tros bechod, kyrff y y rrain
a loskir y tu ollan ir lluestai.

12 Ac am hynny *ac Iesu, ir yddo santeiddior bobl
trwy y waed y hun, or tu allan ir porth y dioddefodd ef.

13 Am hynny awn atto ef or tu allan ir lluestai, gan
ddwyn y ddirmig ef.

14 O blegid ni does i ni yma ddynas a bery, eithr hon
a ddaw y ddym yn i cheisio.

15 Offrymmwn o blegid hynny yn estig trwyddo ef y
Ddyw aberth moliant, hynny yw, ffrwyth gwefusay, yn
cyfadday y Enw ef.

16 Nedwch tros gof ‡fod yn gywaithas a chyfrannu:
can ys a chyfryw aberthay y *boddheir Dyw.

‡ wneuthur
  dayoni
* rrengir bodd

17 Vfyddhewch ych preladiaid, ac ymddarostyngwch:
o blegid gwilio y maent *tros ych eneidiau chwi, megis
rrai a fydd rraid vddynt roi kyfri, mal i gallon wneuthyr
hynny yn llawen, ac nid yn drist: can ys dibroffid yw
hynny i chwi.

* ar

18 Gweddiwch trosom ni: can ys may yn siccr
kenym, fod y ni gydwybod dda ym-hob peth, yn chwen-
ychu byw yn onest.

19 Y ddwy yn disif arnoch wneuthur hynny beth
difrifach, ir mwyn cael yn ebrwyddach fyngollwng
attoch.

20 Dyw yr heddwch rrwn a ddug trachefn o ddiwrth
y meirw eyn harglwydd Iesu, y bigael mawr y defaid,
trwy waed yr Amod tragwyddol,

21 Ach gwnel yn berffaith ym hob gwaithred dda, y
wneuthyr y wollys ef, drwy weithio ynochi yr hyn a fo
cymradwy yn y olug ef trwy Iesu grist, ir hwn *y bo*
gogoniant yn oes oesoedd, Amen.

22 Y Ddwy yn wir yn disif arnoch, ymrodyr, goddef-
wch y gair cyngor, o blegid ac ychydig eiriau ydd
yscrifenais attoch.

23 Gwybyddwch fod *ein* brawd Tymotheus y ollw ng
yn rrydd, gidar hwn (o daw e ar fyrder) y do y ymweled
a chwi.

24 Anherchwch ych preladiaid oll, ar sentiau y gyd.
May ‡gwyr Ital yn erchi ych annerch,

* yr ei or

25 Gras *a fo* gida chwi oll *achlan*, Amen:
At yr Ebraiaid yr yscrifenwyd yr *ebystl hon* or Ital
trwy Tymotheus.

* Atcuddiat

‡ 'sef yr ym-
  adroddwr am
  Dduw.

* sum, swm
  swmp

‡ dywdab

* gwenidogion
  ecclesic
‡ gausaiuct
* gnoant

‡ eb ddiolch
* ddosparth

‡ ddigofain,
  soriant
‡ 'orchafieth,
  gorvot

* chwymp
‡ eb dor
* a 'orvu

‡ ac
* priavvd

* datguddiat
  hyn
‡ heirn

* Datcuddiat
  yw air yn ei
  gylydd
‡ y petheu

*GWELEDIGETH

I O A N   Y   ‡D I V I N Y D D.

YR ARGVMENT.

EGLAER yw, y mynnei'r Yspryt glan megis casclu ir llyfer rhagorol hwn *grynodep y prophetolaethehyny, yr ei a racscrivenesit, eithyr a gyflawnit gwedy dyvodiat Christ, can angwanegu hefyt cyfryw betheu ac vyddei raidiol, yn gystal in rhac rybuddiaw am berycleu a ddelent, ac in rhybuddiaw y 'ochelyd rrei, ac in cysirio yn erbyn eraill. Yma gan hyny yr eglurir ‡Diuiniti Christ, a' thestiolaetheu ein prynedigeth: pa betheu 'sy cymradwy gan Yspryt Dew yn y *ministreit, a' pha bethe 'sy ancymradwy ganto: rhac weledigeth Dew yw ddetholedigion, ac am y gogoniant a'r diddanwch yn y dydd dial: p'wedd y destruwer yr ‡hypocriteit yr ei a *vrathant mal scorpionae aelodae Christ, eithyr yr Oen Christ y amddeffen yr ei a dducant testoliaeth y gyd a'r gwirionedd, yr hwn er anvodd y bestvil a' Satan a deyrnasa ar oll. Bywiol ‡yscythrat Antichrist wedy arddangos, yr hwn er hyny a dervynir ei amser a'i veddiant, a' chyd dyoddefir y cynddaredd ef yn erbyn yd etholegion, er hyny ny chyredd y veddiant ef ym-pellach na drugu y cyrph hwy: ac or dywedd y dinistrir ef can *lit Dyw, pan vydd ir etholedigion roi moliant y Ddyw am y ‡vuddygoliaeth, ac er hyny tros amser ef a ddyoddef Dyw yr Antichrist hwn, a'r putain y dan liw ymadrodd tec a' dysceidaeth voddlonus y hudo'r byt: am hynny y mae ef yn cygori'r ei dywiol (yr ei nyd ynt anyd rhan vach) ymochelyd rhac gweniaith y vudroc hon, ai molach, a' hwy a gant welet ei *hadvail yn ddidrugaredd, a'r compeini nefawl yn canu moliauneu yn ‡ddidaw: can ys yr Oen 'sy wedy ei briodi: a' gair Dew *aeth a'r oruchafiecth: Satan yr hwn yn hir o amser oedd wedy ellyng yn rhydd, ys y yr owrhon wedy ei davly ef a'i 'weinidogion ir pytew tan yw poeni yn tragyvythawl, ‡lle yn-gwrthwynep i hyny y ffyddlonion (yr ei ynt sanctaidd ddinas Caerusalem, a' *gwraic yr Oen) y bydd yddwynt veddiannu gogoniant tragyvythawl. Darllenwch yn ddiyscaelus, barnwch yn bwylloc, a' galwch yn ddivrifol am wir ddyall y petheu hyn.

Pen. j.

1 Achos y *weledigeth hon. 3 Am yr ei a'i darllenant. 4 Ioan yn scrivennu at y saith Eccles. 5 Mawredigrwydd a' swydd Map Dew. 20 Gweledigeth y canwyll‡breni a'r ser.

GWELEDIGAETH Iessu Christ, yr hon y rroedd Dyw yddo ef, yw ddangos yddy wasnaethwyr ‡yrrein y orvydd yn vyan ddy fod y ben: ac ef y ddan-

vonoedd, ac y ddangosoedd gan y angel yddy was-
anaethwr Ioan,

2 Yr hwn y dystolaethoedd *o eir Dyw, ac o dyst-
olaeth Iesu Christ, ac o bob peth ar y weloedd ef.

3 Happys ywr *neb y ddarlleyo, ar rrei y wrandaw-
ant geyriey y bryffodolaeth *hon*, ac y cadwant y
pethey ysydd yn escrivenedic yndi: cans y maer amser
gayr llaw.

4 Ioan, ‡yr seith Eglwys ar ydynt yn Asia, Rrad vo
gyd a chwi, a' heddwch o *dd*iwrth yr Hwn ys ydd, yr
Hwn vu, a'r Hwn *vydd rrac llaw, ac o ddiwrth y seith
Ysbryd y rrei ydynt gair bron y ‡dron ef,

5 Ac o ddiwrth Iesu Christ, yr hwn ys ydd tust
ffyddlawn, *yr ‡enedigaeth cynta or meyrw, a Thy-
wysog *ddyvvch* vrenhinoedd y ddayar, yddo ef yn
caroedd ni, ac yn golchoedd ni oddiwrth yn pechodey
yny waed, *yhun*,

6 Ac yn gwnaeth yn Vrenhinoedd ac yn ‡Effeirieid
y Ddyw y dad ef, *yddo ef *y bo* gogoniant ac ym-
herodraeth yn oes oesoedd.   Amen.

7 ‡Dyna, y may ef yn dyvod gydar *nywl, a' phob
llugad ae gwyl ef, ar rrei *hefyd* y ‡brathasant ef *tryvvodd:*
ac wylovain y wnant *arno ef holl ‡ceneloe*dd* y dayar,
Velly y mae, Amen.

8 Mi wyf α *Alpha* ω *Omega*, y dechre a'r diwedd,
medd yr Arglwydd, yr Hwn y sydd, a'r Hwn vu, ac yr
Hvvn ddaw *rrac llavv*, '*sef* yr hollalluawc.

9 Mi Ioan, ych brawd chwi, a *chydynaith mewn
‡cospedigaeth, ac yn y deyrnas ac mewn goddefaint
Iesu Christ, oeddwn mewn ynys a elwir Patmos am 'eir
Dyw, ac am dystolaeth yr Iesu Christ.

10 Yr oyddwn yn *yr* yspryd yn dydd yr *Arglwydd,
ac y glyweis ‡rrac vynghefen, lleis mawr, mal *lleis*
trwmp*et*,

11 Yn dywedyd, mi wyf α *Alpha* ac ω *Omega*, y
cyntaf ar diwethaf: a'r peth yr wyt ti yny weled, es-
crivena mewn llyfr, a danvon *yr seith Eglwys ar
ydynt yn Asia, y Ephesus, ac y Smyrna, ac y Berga-
mus, ac y Thyateira, ac y Sardei, ac y Philadelphia, ac
y Laodiceia.

12 A mi ymchoyles yn vu ol y weled y lleis, a
‡ddwad wrthy vi: a phan ymchoyles, mi a welwn seith

T.H.C.M. a
translatoedd
oll text yr
Apocalypsis yn
ieith ei wlat.

* am
‡ Dedwydd,
  Gwynvydedic
* hwn, vn

‡ at y. &c.

* 'sy ar ddyvot
‡ eistedfa

* *a'r*
‡ cenedledigeth

‡ O

‡ Wely
* wybreneu
‡ gwanasont
* ger y vron ef
‡ llwytheu

* chyfranwr
‡ trwmbleth

* Sul
‡ y tu cefn, yn
  vy ol

* ir

‡ lafarei, ym-
  adroddei

canwylbren aur.

13 Ac ynghanol y seith canwyllbren, vn yn debic y Vab y duyn, gwedy ymwysgo a gwisc hed y draed a' chwedi *gwisco gwregis aur ynghylch y vrone.

14 Ey ben, ay wallt oeddent wnion mal gwlan gwyn, *ac* mal eira, ay lygeid *oeddent* mal fflam dan.

15 Ay draed *oeddent* mal ‡pres coeth, yn llosgi megis mewn ffwrneis: ay leis mal swn llawer o ddyfroedd.

16 Ac yr oedd yn y law ddehe saith seren: ac o eney allan yrydoed yn myned cleddey llym doy vinioc: a discleiro a wnaeth y wyneb ef mal yr *hoyl yn y ‡'rym ef.

17 A phan y gweles i ef, my a syrthies wrth y draed mal marw, ac ef a ddodoedd y law dehe arnaf, dan ddwedyd wrthyf, nac ofna: mi wyf y cyntaf a'r diwethaf,

18 Ac yr wyf yn vyw, ac y vym varw, *a syna, yr wyf yn vyw yn oes oesoedd, Amen: ac y mae genyf yr ‡allwyddey yffern *a myrvolaeth.

19 Escryvenna y pethey y weleist, ar pethey ysydd, ar pethey a ‡'orfydd bod rrac llaw.

20 Dirgelwch y seith seren y weleist yn vy llaw ddechre, *a'r seith canwyllbren aur, *yvv hyn*, Y seith seren *Angylion y seith Eglwys ydynt: ar seith canwyllbren y weleist, y seith ‡Eglwys ydynt.

Pen. ij.

1 Y mae ef y cygori pedeir Eccles,   5 I 'diweirwch,   10 I barhau, dyoddefgarwch ac amendaat,   5. 14. 20. 23 yn gystal trwy vygwth,   7. 10, 17, 26 Ac addeweidion gobrwy.

ESCRYVENA at Angel Eglwys Ephesus, Hyn y may ef yn dywedyd y sydd yn dal*a* y seith seren yn *u law ddehe, ac y sydd yn ‡treiglo yn c*h*anol y seith canwyllbren aur.

2 Mi adwen du weithredoedd, ath travael, ath g*o*ddef, ac na elly *cyd ddwyn ar rrei drwc, ac y holeist hwynt ysydd yn dywedyd y bod yn Ebostolion, ac nyd ydynt, ac y gefeist hwynt yn ‡gellwddoc.

3 A thi oddefeist, ac ‡yr wyd yn oddefgar, ac y dravaeleist yr mwyn vu enw i, ac ny *ddyffigieist.

4 ‡Ac er hynny, y may genyf peth yth erbyn, am yt

Margin notes (left column):

* ymwregysu

‡ elydn, alcam manol

* neu leis

* haul
‡ nerth

* ac wele

‡ agoriadeu
* ac angeu

‡ vyddant, ddawant

* Cenadey

‡ Cynnulleidfa

* y
‡ rrodio

* goddef

‡ y may genyd goddefiad

* vlineist

‡ Eythyr

ymadel ath cariad cyntaf.

5 Meddylia, am hyn, o pa le y cwympeist, ac etiverha, a gwnar gweithredoedd cynta: ac *onys *gvvnei* mi ddof ar vrys yth erbyn, ac y symydo dy ganwyllbren allan oy le, any well*h*ey.   * anyd ef

6 Ond hyn y sydd genyt, achos yt cashay gweyth-redoedd y Nicolaitait, y rrein yr wyf vi *hevyd yny cashay.   * esioes

7 Y sydd a chlyst gantho, gwrandawed, pa beth y ddwed yr ysbryd wrth yr Eglwysi, Ir ‡gorchtrechwr, y rrof vwytta or pren y bywyd, yr hwn y sydd yn c*h*anol paradyvys D*d*yw.   ‡ gorchvygwr

8 ¶ Ac escrifena at Angel Eglwys y Smyrniaid, Hyn y dd*y*wed ef y sydd gyntaf a' ddiwethaf, Yr hwn y vy varw ac y sydd vyw.

9 Mi adwen dy weythredoedd, ath travael, ath tlodi (eithr yr wyd yn gyvoethoc) ac *mi advven* *enllib melleigedic yr rein ydynt yn dywedyd y bod yn Iddewon ac nyd ydynt, ‡ond y maent yn ‡Synagog Satan.   * gabl   ‡ cynulleidfa

10 Nac ofna ddim or pethey y orvydd yd y oddef: synna, e ddervydd y bwrw y cythrel rrei o hanoch chwi y garchar, mal y gellyr ych profi, a' chwi a gewch travayl deng niwrnod: bydd ffyddlawn hed *myrvol-aeth, a mi y rrof ytti coron y bowyd.   * angeu

11 Ysydd a chlyst gantho, gwrandawed pa beth y ddwed yr ysbryd wrth yr eglwysi, Ny chlwyfir y gor-trechwr gan yr eil ‡marvolaeth.   ‡ angeu

12 Ac Escrifena at Angel Eglwys Pergamus, Hyn ymay ef yny Ddwedyd y sydd ar cleddey llym day vinioc.

13 Mi adwen dy weithredoedd ath triga*d*le '*sef* lle may *eiteddley Satan, a thi y gedweist vy Enw i, ac vy ffudd i nys gwedeist, ‡ac yn y dyddiey pan las vu ffuddlon merthyr Antipas yn ych plith chwi, lle may Satan yn *drigadwy.   * thron   ‡ ys   * trigio

14 Eithr y may genyf ychydic*ion* yth erbyn, cans y may ‡yno genyd rrei yn dala dysc Balaam, yn yr hwn y ddyscoedd Balac, y vwrw *plocyn tramcwyddys gar bron ‡meibion *yr* Israel, er yddynt vwytta or pethey y aberthwyd *u ddelwey, a ‡godineby.   ‡ genyt yna   * trancwydd rrwystr   ‡ plant   * i eiddolon   ‡ ffurnigo

15 Velly hefyd y may genyd rrei yn dala dusc y

*Nicolaitait, yr hyn yr wyfi yn y gasay.

16 Etifarha, ac onys *gvvnei*, mi ddof attad ar vrys, ac a ymladdaf yn y erbyn hwynt a chleddey vy vy-geney.

17 Ysydd a chlyst gantho, gwrandawed pa beth y ddwed yr ysbrud wrth yr Eglwysi, ‡Yr gortrechwr, mi rrof y vwytta or Manna ysydd gyddiedic, ac mi rrof yddo ef garec wen, ac yn *u garec enw newydd *yn* escrivenedic, yr hwn ny ‡adnebydd neb, ond ae *herbyno.

18 ¶ Ac escrivena at Angel Eglwys Thyateira, Hyn y may Mab Duw yny ddwedyd, ysydd ae lygeid mal fflam dan, ae draed mal ‡pres-pur.

19 Mi adwen dy weythredoedd ath cariad, a*th* wa sanaeth, a*th* ffydd, ath goddeviad, ath weithredoedd, a' *bot* y diwethaf yn rragori ar y cyntaf.

20 Eithr ymae genyf ychydic *bethe* yth erbyn, am *yd goddef y wreic *hono* Iezabel, yr hon ysydd yn galw y ‡hyn yn broffwydes, y ddusgy ac y dwyllo vyngwasnaethwyr i y beri yddynt *godyneby*, ac y vwytta bwydydd gwedy y aberthy ‡y ddelwey.

23 Ac mi a rroyssym amser yddy y etiferhay am y godinep, ac ny chymerth *hi* etifeyrwch.

22 *Syna, mi a bwraf hi y wely, ar sawl a wnant odineb *gyd* a hi, y ‡gospedigaeth mawr, onyd etiferhant am gweithredoedd.

23 Ac mi ladda y phlant a *myrfolaeth: ar holl Eglwysi ‡y cydnabyddant mae mi wyf yr hwn y *ch*whilia y 'rennae ar caloney: ac mi a rrof y bob vn o hanoch yn ol ych gweithredoedd.

24 Ac y chwi y dwedaf, y gweddillion Thyateira, *Ysawl *bynac* na does ganthynt y ddusc hon, ac ny adnabyont dyfnder Satan (mal y dwedant) ny ddodaf arnywch beych *arall.

25 Ond y peth yssydd genywch *eisus*, delwch *yn dda* hed yn 'ddelwyf.

26 Can ys yr vn y orfyddo ac y gatwo vyngweithredoedd hed y diwedd, mi a rroddaf yddo ef gallu ar ‡genetloedd, ac ef a rriola hwynt a gwialen hayarn, ac hwynt a ddryllir mal llestri pridd.

27 Ac yny modd y dderbynes i gan vyn had, velly y rroddaf i yddo ef y seren vorey.

*Gr. Nico-laitoon

‡ I hwn a orchfygo

* y

‡ edwyn

* derb-

‡ chalcolibano

* yt

‡ hun

‡ i eiddolon

* Nachaf, Wele
‡ gystudd, gyni, 'ovid
* ac angeu
‡ aodna-

* Cyniuer

‡ yn chwanec

‡ nassioney

28 Sydd a chlyst gantho, gwrandawed pa beth y
ddwed yr ysbryd wrth yr Eglwysi.

Pen. iij.

1 Y mae ef yn annoc yr Ecclesidd ai gwenidogion i wir proffessiat
ffydd ac y wiliaw, 12 Gyd ac addeweidion ir ei a paraant.

AC escrivena at Angel Eglwys *ys y yn* Sardi, Hyn y
ddwed *ef ysydd a seith ysbrud Dyw gantho, ar   * yr hwn
seith seren, Mi adwen dy weithredoedd can ys y may
enw ‡genyd dy vod yn vyw, ond yr wyd yn varw.   ‡ yti
2 *Duhyn a' chadarnha y gweddillion, ar ydynt yn   * Dyffro
barod y veirw: can ys ny cheveis i dy weithredoedd yn
‡byrffeith gair bron Dyw.   ‡ gyflawn
3 Am hyny cofia, pa beth y dderbyneist, ac y
glyweist, a dala yn *sicker, ac eteferha. Am hyny, ony   * ffest
byddy yn ‡dduhynol, mi ddof attad mal lleydyr, ac ny   ‡ gwyliad
chey wybod pa'r awr y dof attad.
4 *Eithr* y mae genyd ychydyc o enwey eto yn Sardi,
yrrein ny halogesont y dillad: a rrei hyny a rro diant
gyda mi mewn *dillad* gwnion: can ys teylwng ydynt.
5 Yr vn y *orfyddo, y dddillatteir mewn dillad   * orchfyco
gwnion, ac ny ‡ddodaf y enw ef allan o Lyfr y bowyd,   ‡ ddileaf
ond mi *coffessaf y enw ef gair bron vyn had, a' chair   * addefaf
bron y Angelion.
6 Y sydd a chlyst gantho, gwrandawed, pa beth y
ddwed yr ysbrud wrth yr Eglwysi.
7 ¶ Ac Escrifena at Angel *yr* Eglwys *ys y yn* Phila-
delphia, Hyn a ddwed ef y sydd santeidd a chowir, yr
hwn y mae gantho ‡agoriad Dauid, yr hwn agor*a* ac   ‡ allwydd
ny chay*a* neb, ac y gay*a* ac nyd agor*a* neb,
8 Mi adwen dy weithredoedd: *syna, mi a ddodeis   * wele
gair dy vron drws agored, ac ny dduchyn neb y chay*ed*
‡hi: can ys y mae genyd ychydic *rym a thi y ged-   ‡ ef
weist vyngeir, ac ny wedeist vy Enw.   * nerth
9 ‡Syna, mi wnaf yddynt hwy o *Synagog satan y   ‡ Wele
rrein y galwant y hun yn Iddewon ac nyd ydynt, ond   * gynulleidfa
y maent yn gelwyddog*ion*, syna, *meddaf*, mi wnaf
yddynt ddyfod ac ‡anrrydeddy gair bron dy draed, a'   ‡ addoli
chydnabod vy mod yn du garu *di*.
10 O achos ‡yd gadw geir vyng oddef i, am hyny   ‡ yt
mi ath cadwa di oddiwrth awr y profedigaeth, yr *hon a*

ddaw ar yr holl vyd, y brofi hwynt ar ydynt yn trigo
ar y ddayar.

11 *Syna, yr wyf yn dyfod ar vrys, dala'r peth y
sydd genyd, rrac y neb gymeryd dy goron.

‡ golofn
* mwy
‡ caer

12 Mi wnaf yr vn y 'orfyddo yn *biler yn hemel
vy nyw i, ac nyd eiff ef allan ‡rac llaw: ac mi
escrifenaf arno ef Enw vy nyw i, ac enw *dinas vy
nyw i, yr hon ydiw Caersalem newydd, y sydd yn
discyn or nef oddiwrth vy nyw *i*, ac *mi scrivennaf* arno
ef vy Enw newydd i.

13 Y sydd a chlyst gantho, gwranandawed pa beth
y ddwed yr ysbryd wrth yr Eglwysi.

14 Ac escrifena at Angel Eglwys y Laodiceit, Hyn
y ddwad Amen, y tust ffyddlawn a' chowir, dechreyad
creadyrieid Dyw.

‡ oer na
gwresoc
* ai oer ai
gwresoc
‡ vwygl

15 Mi adwen dy weithredoedd, nyd ydwyd na
‡thwym nac oer: mi vynwn pyt veid *yneill aetwym
ae oer.

16 Ac am hyny can dy vod yn ‡lled-twym, ac heb
vod nac yn oer nac yn dwym, 'e *dder*vydd i mi dy
chwdy *di* allan om geney.

17 Can ys yr wyd yn dwedyd, Yr wyf i yn gyv-
oethoc, a chenyf amlder o dda, ac ny does arnaf eisie
dim, ac ny wddost dy vod yn druan ac yn resynol, ac
yn dlawd, ac yn ddall, ac yn noeth.

‡ provedic can

18 Mi gynghoraf ytti bryny genyfi aur *puredic
trwy dan, mal y *gellir dy ‡gyvoethogi, a gwisco
amdanad a dillad gwnion, mal ith ymwiscer, ac mal
nad ymddangoso *cywilydd dy noethter *di:* ac ira
‡dy olygon ac *eli llygeid, mal y gwelych:

* gwrthuni
‡ lygait
* *collyrio*
‡ argyoeddi,
ceryddu,
siardo
* Lla. *emulare*
‡ curo, ffusto

16 Yrwyf yn ‡beio ac yn cospi y sawl yr wyf yny
garu: am hyny ‡pryssyrgara a gwella.

20 Syna, yrwyf yn sefyll wrth y drws, ac *yn ‡taro'*r
drvvs*. O chlyw vn duyn vu lleis ac agoror drws, mi
*dd*af y mewn atto ef, ac y swppera gydac ef, ac yntey
gyda miney.

* Ir hwn
‡ *throno*

21 *Yr vn y orfyddo, mi rro yddo ef eiste gyda mi
yn vy *eisteddle, mal y gorvym i, ac eisteddes gyda
vynhad yn y eisteddle ef.

22 Y sydd a chlyst gantho, gwrandawed pa beth y
ddwed yr ysbryd wrth yr eglwysi.

Pen. iiij.

1 Gweledigeth mawredigrwydd Dew. 2 Y mae ef yn gweled y
tron, ac vn yn eistedd arnaw, 8 A' 24. eisteddva oi amgylch a'.
24. henafgwyr yn eistedd arnwynt, a' phedwar aninal yn moli
Dew ddydd a' nos.

GWEDY hyn mi edrycheis, *a' syna, y rydoedd
drws yn agored yn y nef, ar lleis cynta y glyweis,
oedd mal lleis ‡trwmpet yn *c*whedlea a mi, dan
ddywedyd, *Dabre y vyny*dd* yma, a mi ddangosaf ytti
y pethey y orfydd yw gwneithr rrac llaw.

2 Ac yn y man y royddwn yn yr ysbrud, a syna, ve
ddodwyd ‡eisteddle yn y nef, ac ve eisteddoydd vn ar
yr eisteddle.

3 Ar vn y eisteddoedd, oedd yw edrych arno, yn
debic *y garec iaspis, a' *charec* sardin, ac envys oedd
gylch ogylch yr eisteddle yn debic yr olwc arno y *garec*
smaragdus.

4 Ac ynghylch yr eisteddle *yr oedd* pedwar eisteddle
a rrigein, ac mi a weleis ar yr eisteddleoedd yn eiste
pedwar a rrigein o henafieid, a dillad gwnion amdanynt,
a choraney aur ar y penney.

5 A' ‡mellt a thraney, a lleisiey, y ddoethant allan
or eisteddle, a saith lamp o dan oeddent yn llosgi gair
bron yr eisteddle: yrrein ydynt seith ysbrud Dyw.

6 Ac yn golwc yr eisteddle *yr ydoedd* mor o wydr yn
debic y *vaen* cristal: ac ynchanol yr eisteddle, ac
yng hylch yr eisteddle y royddent pedwar enifel yn llawn
o lygeid ym'laen ac yn ol.

7 Ar enifel cyntaf cynhebic *yllew ydoedd, ar eil
enifel yn debic y lo, ar trydedd oedd ac weyneb gan
tho mal *vv*ynep *d*uyn, ar pedwaredd enifel *oedd* yn debic
y eryr ‡yn hedfan.

8 Ac yroedd y bob vn or pedwar enifel chwech o
a deinedd gylch ogylch yddynt, *a' rreini yn llawn llygeid
otyfewn ac nyd odddent yn gorffowys dydd na nos, yn
dwedyd, Sanct*eidd*, sanct*eidd* Sanct*eidd* Arglwydd
Ddyw, *h*ollalluawc, yr hwn y Vu, ac y Sydd, ac ‡Ys
ydd ar ddyvot.

9 A' phan rroyssont y nefeylied hynny *g*ogoniant ac
anrrydedd, a' diolch *ir yr hwn oedd yn eiste*dd* ar yr
eisteddle, yr hwn y sydd yn byw yn ‡dragywydd.

Yr *Epistol ar*
Sul y Trintot
* ac wele,
* vtcorn
‡ vtcorn
* Escen, Dring

‡ *Gr. thronos,*
tron, trwn

* *vaen*

* Sas, emeraud

‡ lluchedene

* i lew

* yn ehedec, ar
ei adain

* ac oyddent

‡ yn oes oes-
oedd

6

10 Y pedwar ar rigein o henafied y syrthiasant gair bron yr vn oedd yn eiste*dd* ar yr eisteddle, ac a *anrrydeddasont ef, y sydd yn byw yn dragywydd, ac y vwrasont y coronae gair bron yr eisteddle, dan ddywedyd,

11 Teylwng wyd, Arglwydd, y *dd*erbyn gogoniant ac anrrydedd, a' gally: cans ti y ‡creest pop peth, ac er mwyn dy ewyllys *di* y maent, ac y *crewyd.

* grymasont iddaw, addolasont. &c.

‡ wneythost
* gwneythþwyt

Pen. v.

1 Gweled y mae ef yr Oen y agori 'r llyver. 8. 14. Ac am hyny y mae y petwar aniuail, y 24. henafwyr, a'r Angelon yn moli yr Oen, at yn ei addoli 9 Am eu prynedigeth a'u cedion eraill.

AC mi a weleis mewn llaw ddehe yr vn oedd yn eiste ar yr eisteddle, Llyfr escrivenedic or ty vewn, ac or tu allan, gwedy sely a seith sel.

2 Ac mi a weleis Angel cadarn yn pregethy a lleis ychel, Pwy sy deilwng y agory*d* y Llyfr, ac y ddatdod y seley ef?

‡ mewn

3 Ac ny doedd neb *yn y nef, nac yn y ddayar, na than y ddayar, yn abyl y agory*d* y Llyfr, na*g* y edrych arno.

4 Ac *yno* mi wyles llawer, o achos na chad neb yn deilwng y agory*d*, ac y ddardlen y Llyfr, nac y edrych arno.

5 Ac vn or henafied y ddwad wrthyf i, Nac wy la: ‡syna, llew yr hwn ysydd o lwyth Iuda, gwreiddyn Davydd, y *enilloedd y agory*d* y Llyfr, ac y ddatdod y seith sel ef.

* wele

‡ gafas

6 Yno mi edrycheis, a synna, yn c*h*anol yr eisteddle, ar pedwar enifel, ac yn c*h*anol yr henafied, yr ydoedd Oen yn sefyll mal by biasey gwedy ladd, yr hwn oedd a seith corn, ac a seith llygad yddo, y rrein ydynt seith ysbryd Dyw, y ddanvonwyd ‡yr *h*oll *vud.

‡ ir
* vyd

7 Ac ef yddayth, ac y gymerth y Llyfr o law ddehe yr vn oedd yn eiste*dd* ar yr eisteddle.

8 A phan cymerth ef y Llyfr, y pedwar enifel, ar pedwar ar igein henafied, y syrthiasont gair bron yr Oen, ac yr ydoedd gan bob vn o hanynt telyney a phiolae aur yn llawn o erogley, y rrein ydynt gweddie'r Sainct,

9 Ac y ganysont caniad newydd, dan ddwedyd.
Teilwng yd gymryd y Llyfr, ac y ddattod y sele ef,
can ys ‡veth las, ac yn pryneist ni y Ddyw *trwy dy
waed *allan* o bob cenedlaeth, ac ‡ieith, a' phobl, a'
nasion,   ‡ithladdwyt
  * can
  ‡ thavod
10 Ac yn gwneythost yn Vrenhinoedd ac yn Effeiried
yn Dyw *ni*, a ni, a *thyrnaswn ar y ddayar.   * deyrn-

11 Yno mi edrycheis, ac y glyweis lleis llawer o
Angylion ynghylch yr eisteddle ac *ynghylch* yr enefeilied
ar henafied, ac *yr oeddent* mil o filioedd,

12 Yn dwdyd a llais ywchel, Teilwng yw yr Oen y
las y dderbyn gallu a chyfoeth, a' doethyneb, a' ched-
ernid, ac anrrydedd, a' gogoniant, a' moliant.

13 Ac mi a glywes yr holl creadyried y rrein ydynt
yny nef, ac ar y ddayar, a than y ddayar, ac yny mor,
a' phob peth y sydd yndynt hwy, yn dwedyd, Moliant,
ac anrrydedd, a' gogoniant, a gallu y *vo* yddo ef, y
sydd yn eiste ar yr eisteddle, ac yr Oen yn dragywydd.

14 Ar pedwar enifel a ddywedasont, Amen, ar pedwar
ar igein o henafied a sirthiasont y lawr, ac ‡anrrydedd-
asont ef, y sydd yn byw yn dragywydd.   ‡ addolasont

Pen. vj.

1 Yr Oen yn agori y chwech insel, a' llawer o betheu yn dyvot ar o¹
y hagori, val y mae hyn yn amgyffred prophetoliaeth gyffredin yd
dywedd y byt.

YN ol hyn, mi edrycheis pan agoryssey'r oen vn or
seley, ac mi y glyweis vn or pedwar enifel yn
dwedyd, mal *by bei* trwst traney *Dabre ac edrych.   * Dyred

2 Ac mi edrycheis, a' syna, yr yd oedd march gwyn,
ac yr ydoedd bwa gan yr vn oedd yn eiste*dd* arnaw, a
choron y royspwyd yddo ef, ac ef aeth allan dan con-
cwerio ac y ‡concwery.   ‡ 'orvot

3 A phan agoryssey yr eil sel, mi glyweis yr eil enifel
yn dwedyd, *Dabre ‡ac edrych.   * Dyred a'gwyl
  ‡ *phovver*

4 March arall aeth allan, ae *livv* yn goch, a *gallu* y
rroed yr vn oedd yn eiste*dd* arno, y gymryd heddwch o
‡ddiwrth y ddayar, ac y beri yddynt lladd y gilydd, a'
chleddey mawr y rroed yddo *ef*.   ‡ *phovver*
  * ddiar, can

5 A' phan agorysei ef y trydydd sel, mi glyweis y
trydydd enifel yn dwedyd, Dabre ac edrych. A' mi
edrycheis, a ‡syna, *yr oedd yno* march du, a phwyse yn   ‡ ll'yma varch

llaw yr vn oedd yn eiste*dd* arno *ef.*

* lef, leferydd

6 A' mi glyweis *leis yn c*h*anol y pedwar enifel yn dwedyd, messyr o wenith er ceinioc, a' thri me syr o

‡ haidd, barlis
* dryga, wna eniwed ir. &c.

‡heith er ceinioc, a'r olew, gwin, na *waytha *di.*

7 A' phan agorasey ef y bedwaredd sel, my glyweis lleis y bedwrydd enifel yn dwedyd, Dabre ac edrych.

‡ *Gr. chlooros.*
i. melyn, lluch-win, gwelw,
* Angeu

8 Ac mi edrycheis, a syna, march *a llivv* ‡priddlyd a *Marsolaeth oedd enw yr vn oedd yn eiste arno, ac

‡ ir

Yffern y dilynoedd ef, a gallu y roed yddynt hwy dros

* bestviledd

y bedwaredd rran ‡or ddayar, y ladd a chleddey, ac a

‡ 'sef yr oen

newyn, ac a marfolaeth, ac a *'nefeilied y ddayar.

9 A' phan agorasey ‡ef y bymed sel, mi weleis dan yr allor eneidiey yr rein y las am 'eir Dyw, ac am

* oeddent yn ei gynnal

y tustolaeth yr hwn *oedd ganthynt.

10 Ac hwy a lefasont a llef ywchel, dan ddwedyd, Pa hyd, Arglwydd, santeidd a chowir? nad ydwyd yn barny a 'dial yn gwaed ni, ar y rrein ar ydynt yn trigo ar y ddayar.

‡ Llat. *stolæ* gwiscoedd-llaesiom

11 A' gowney gwnion ‡hirion y rroed y bob vn o naddynt, ac y ddwetpwyd wrthynt, am yddynt o'r ffwys

‡ enhyd bach
‡ ei

*dros ychydic o amser hyd yn gyflewnid *rif* *y] cyd-wasnaethwyr, ac brodyr, y lledd*e*sid, mal y llas ynthwy.

* nes cyflenwi

12 Ac mi edrycheis pan agorasei ‡ef y chweched

‡ yr Oen

sel, a syna, crynfa mawr y ddayar y doedd, ar haul aeth cyn ddued a sach lien blew*oc*, ar lleyad oedd, yn debic y waed.

12 A' ser o'r nef y syrthiasont yr ddayar, mal pren

* Gr. biblios
'sef llyfr, yr hwn vyddei yn y cynvyd yn rrolyn

ffeigys yn bwrw ffeigys-gleison pan scydwyr *hi* a gwynt mawr.

14 Ar nef aeth heybio, mal *rol-o-bapir, gwedy

‡ ei rolio

‡troi ynghyd, a phob mynydd ac vnys y *drowyd allan

* ysmutwyt

oy lle*oedd*,

15 A' brenhinoedd y ddayar, ar gwyr mawr, ar cyfoethogion, ar pen captenied, ar *gvvyr* cedyrn, a phob gwr caeth, a phob gwr-rrydd, y ymgyddiasont mewn

‡ clegyr,

gogofey, ac ym plith ‡creigie y mynyddey,

16 Ac hwy y ddwedasont wrth y mynedde*dd* ar creigeu, Cwympwch arnom *ni*, a' chyddiwch ni rrac wyneb yr vn y sydd yn eiste*dd* ar yr eistedd le, ac o

* lid, edicter

ddiwrth *digovent yr Oen.

17 Can ys y may dydd mawr y ddigovent ef gwedy dyfod, a' phwy y ddychyn sefyll?

Pen. vij.

4. 9 Gweled y mae ef wasanaethwyr Dyw wedl eu selio yn ei taleu o
bop nasion a phoploedd, 15 Yr ei cyd bont yn dyoddef trwbl,
er hyny y mae yr Oen yn y bwydo hwy, yn eu harwain i ffynnoneu
dwfr byw, 17 A' Duw a sych ymaes yr oll ddaigreu y ar y
llygait.

AC yn ol hyn, mi weleis pedwar Angel yn sefyl' ar
bedwar *cornel y ddayar, yn dala pedwar gwynt   * congl
y ddayar, rrac yr gwynt chwthy ar y ddayar, nac ar y   *Yr Epistol ar ddydd yr oll Sainct.*
mor, nac ar vn pren.

2 Ac mi weleis Angel arall yn *dyfod y vynydd o   * escen
ddiwrth y Dwyrein, ac yr rydoedd sel Dyw byw
gantho, ac ef y lefoedd a ‡lleis ywchel ar y pedwar   ‡ llef
Angel y rrein y rroyspwydd gallu *y ddrygu'r ddayar,   * waythir
a'r mor,

3 Dan ddwedyd, Na ddrygwch y ddayar, na'r mor,   * preneu
nar *coed, nes yni sely ‡gwasanaethwyr yn Dyw ni yn   ‡ nodi
y talceni.

4 Ac mi glyweis rrif y rrei y selwyd, ac yroydent   * selio
gwedy *sely pedeir a seith vgeinmil o holl ‡cenedl-   ‡ llwytheu
aythey meybyon *yr* Israel.   plant

5 O *genedyl Iuda ef y selwyd doyddeng mil. O   * lwyth
‡genedyl Ruben ef y selwyd doyddengmil. O genedyl   ‡ lwyth
Gad ef yselwyd doyddengmil.

6 O genedyl Aser ef y selwyd doyddengmil. O gen-
edyl Nephtalei ef y selwyd doyddengmil. O genedyl
Manasses ef y selwyd doyddengmil.

7 O genedyl Simeon ef y selwyd doyddengmil. O
genedyl Leui ef y selwyd doyddengmil. O genedyl
Issachar, ef y selwyd doyddengmil. O genedyl Zabulon
ef y selwyd doyddengmil.

8 O genedyl Ioseph, ef y selwyd doyddengmil. O
genedyl Ben-iamyn ef y selwyd doyddengmil.

9 Yn ol hyn mi edrycheis, a' syna *rrif mawr, yr   * torf, tyrfa, lliaws
hwn ny alley neb y rrifo, or holl nasioney a' chenedl-   ‡ a' thauodeu
aythey, a' phobloedd, ‡ac ieythoedd, yn sefyll gair
bron yr eisteddle, a' chair bron yr Oen, a *gowney   * gwiscoedd
gwnion hirion amdanynt, a' ‡phalmwydd yny dwylaw.   ‡ phalmidwydd

10 Ac hwy a lefasont a lleis *y wchel, dan ddwedyd,   * mawr, uchel
‡Cadwedigaeth *sydd yn dyfod* oddiwrth yn Dyw ni,   ‡ Iechyd
ysydd yn eiste*dd* ar yr eisteddle, ac oddiwrth yr Oen.

11 Ar *h*oll Angelion y safasant ogylch yr eisteddle,

marginal notes:

* addolasant

‡ *Gr. apecri-*
the, atepodd,
sef ymddiod-
anodd

* drwbleth,
drallot, gyni,
ing

‡ rac llaw
* chwymp

‡ harwein

* ynghylch

‡ hon 'sydd

* escenesont,
aethon y vyny

ac ogylch yr henafied, ar pedwar enifel, ac hwy syr th-
iasant gair bron yr eisteddle ar y hwynebey, ac *an-
rrydeddasant Ddyw,

12 Dan ddwedyd, *Amen.* Moliant a' gogoniant, a'
doethinep, a diolch, ac anrrydedd, a' gallu, a' nerth, *y*
vo yn Dyw *ni* yn dragywydd, *Amen.*

13 Ac vn or henafied a ‡chwedleyawdd, dan
ddwedyd wrthyf, Pwy ydynt y rrei hyn, ysydd a
gowney gwnion hirion amdanynt? ac o pa le y
ddaython t?

14 Ac mi ddwedeis wrtho ef, Arglwydd ti wddost.
Ac yntey y ddwad wrthyf i, Yrrein yddynt y rrei y
ddaythont allan o *drafael mawr, ac y olchasont y
gowne-hyrion, ac y wneythont y gowney-hyrion yn
wnion yn gwaed yr Oen.

15 Am hyny y maent gair bron eisteddle Dyw, ac
yny wasnaethy ef yn demel dydd a nos, ar vn ysydd
yn eiste ar yr eisteddle, y dric yn y plith hwynt.

16 Ny vydd arnynt newyn ‡mwy, na syched mwy,
ac ny *ddeyl yr haul arnynt, na dim gwres.

17 Cans yr oen, yr hwn ysydd yn chanol yr eisteddle,
y rreola hwynt, ac y ‡towys hwynt at y ffynhoney byw
o ddyfroedd, a' Dyw y sych yr holl ddeigrey o ddiwrth
y llygeid.

Pen. viij.

1 Bot agori y seithfet sel: bot goystec yn y nef. 6 Y petwar Angel
yn canu ei trumpie, a' phlae dirvawr ar ol hynny yn dyvot ar y
ddaiar.

A PHAN y agorassey ef y seythfed sel, yrydoedd
gostec yny nef *amgylch haner awr.

2 Ac mi weleis y seith Angel, yr rein oyddent yn
sefyll gair bron Dyw, a' seith trwmpet yroedd yddynt.

3 Yno Angel arall y ddoyth ac y safoedd gair bron
yr allor, a senser aur gantho, a' llawer o arogley y rroed
yddo ef, y offrymy a gweddie yr holl Seint, ar yr allor
aur, yr ‡hwn ydyw gair bron yr eisteddle.

4 A mwg yr erogley ynghyd a gweddie yr Saint, y
*ddrychafysant gair bron Dyw, o law yr Angel.

5 Ar angel y gymerth y senser, ac y llanwoedd hi
a' than or allor, ac y bwroedd yr ddayar, ac yroydd

lleise, a thraney, a' ‡mellt, a' chrynfa'r ddayar.

6 Yno y seith Angel, y rrein oeddent ar seith trwmpet ganthynt, y *wneythont y hun yn barod y ga ny'r trwmpedey.

7 Ar Angel cynta y ganoedd y trwmpet, ac yr ydoedd *ceseir a' than, gwedy cymysgu, a gwaed ac hwy y vwrwyd yr ddayar, a' thrayan y ‡coed y losg-wyd, ar holl gwellt glas y losgwyd.

8 Ar eil Angel y ganoedd y trwmpet, a' bwrw y y wneithpwyd yr mor, mal *be bei* *mynydd mawr yn llosgi a than, a thrayan y mor aeth yn waed.

9 A' thrayan y creadiried, a'r oyddynt yn vyw yny mor, y vyont veyrw a thrayan y llonge y ddinystrwyd.

10 Ar trydedd Angel y ganoedd y trwmpet, a seren vawr y syrthioedd or nef, yn llosgi mal *toris, ac ef y syrthioedd y drayan yr afonydd, ac y ffynhoney y dyfr-oedd.

11 Ac enw'r seren a elwir wermwd: am hyny trydedd ran y dyfredd aethant yn wermod, a llawer o ‡wyr y vyont veirw, o *vveith* y dyfredd *hynny*, can ys y gwneythur hwynt yn chwerw*on*.

12 Ar pedwerydd Angel y ganoedd y trwmpet, a tharo y wneythpwyd trayan yr hayl, a' thrayan y lleyad, a' thrayan y ser, nes towylly y trayan hwynt: a' *tharo* y wneythpwyd y dydd, mal na alley y *thrayan hi g*oleyo. ac yn yr vn modd y nos.

13 Ac mi edrycheis, ac y glyweis Angel yn ‡hedfan trwy ganol y nef, dan ddwedyd a lleis ywchel, Gwae, gwae, gwae *y* ddeilied y ddayar, *rrac lleisiey ys yn ol y trwmpedey y tri Angel, y rrein oyddent etto y gany-trwmpede.

Pen. ix.

1 Y pempet ar chwechet Angel yn canu ei trwmpie: y seren yn cwympo or nef. 3 Y locustae yn yn dyvot allan or mwg. 12 Bot y gwae cyntaf gwedy mynet heibo. 14 Darvot gellwng yn rhydd y petwar Angel y oeddent yn rwym, 18 A' lladd y drydedd ran y dynion.

AR pymed Angel y ganoedd ar trwmped, ac mi weleis seren yn cwympo or nef yr ddayar, ac yddo ef y rrowd *agoriad y pwll ‡heb waylod.

2 Ac ef agorodd y pwll heb waylod, a' mwg y gyfod-

‡ llucheid
* ymparatoe-sont
* cenllysc
‡ *arborum,* preneu
* glan vawr
* *Gr. lampas,* ffagyl
‡ *homines. i.* dynion
* drayan lewychu, do-wynny
‡ ehedec
* gan
* allwydd
‡ pytew di-waelod, an-oddyn

oedd or pwll, mal mwg ffwrneis vawr, ar haul, a'r *wybr y dywyllwyd gan mwg y pwll.

3 A' ‡locustae y ddeythont ar y ddayar or mwg allan, a gallu y rroet yddynt hwy, mal y may gallu gan *scorpionae y ddayar.

4 A' gorchymyn y rroed yddynt, na waethent gwellt y ddayar, na dim ‡glas, nac vn pren: ond yn *inyc y dynion oyddent heb sel Ddyw yny talceni.

5 A' gorchymyn y rroed yddynt na ladden y rreini, ond yddynt ‡anesmwytho arnynt pym mis a' bod poen y hwynt mal poen y vei o vvaith scorpion, pan darfyddei yddo *brathy duyn.

6 ‡Ac yn dyddiey hyny y dynion y geisiant marfolaeth, ac ny *chywrddant a hi, ac y chwenychant veirw ‡a marfolaeth *y gila rracddynt.

7 A' ‡llyn y lacustae oedd debic y veirch gwedy paratei y rryvel, ac yr oedd ar y peney mal coronae yn debic y aur ae, hwynebey hwynebe yn debic y dynion.

8 A' gwallt oedd ganthynt, mal gwallt gwragedd, ae danedd oeddent mal damedd llewod.

9 Ac yr oedd ganthynt *lurigae, mal llurigae haiarn: a ‡lleis y hadeynedd oedd debic y leis siaredey yn rredec gan lawer o veirch y rryfel.

10 A' *chynfonney oedd yddynt, mal y scorpionae, ac yny cynffoney y rroeddent ‡conynney, ae meddiant hvvynt oedd y ddrygu dynion pym mis.

11 Ac y mae ganthynt vrenin arnynt, yr hwn ydiw Angel y pwll heb waylod, ae euw ef yn Ebryw ydyvv Abaddon, ac yn-*gryw ef y enwyr, ‡Apollyoon.

12 Vn gwae aeth heybio, a' syna, y may doy wae *yw ddyfod ‡rrac llaw.

13 ¶ Ar chweched Angel y ganoedd y trwmpet, ac mi glyweis lleis oddiwrth pedwar corn yr allor aur, y sydd gayr bron Dyw,

14 Yn dywedyd ‡yr chweched Angel, oedd ar trwmpet gantho, Gillwng y pedwar Angel, y rrein ydynt yn rrwym yn yr afon vawr Euphrates.

15 Ar pedwar Angel y ellyngwyd, y rrein y ymbarattowdd yn erbyn awr, yn erbyn diwrnod, yn erbyn mis, ac yn erbyn blwyddyn y ladd trayan y dynion.

16 A' rrif gwyr meyrch y ‡llu, oedd igeyn mil o

Marginal notes (left column):

* awyr
‡ ryw pryfet

‡ Gr. chlooron.
i. gwyrdd
* vnic

‡ cystuddio,
poeni

* guo ei
‡ Am hyny
* chaffant ef
‡ ac angeu a
ffy
* chyffelip-
iaethe

* loricæ
‡ twrw, sain

* chlorene
‡ colyne

* Groec
‡ cyfergollwr

* yn
‡ gwedy hyn
* Yno

‡ ir, wrth

‡ rryfel

weithiey deng mil: can ys mi glyweis y rrif hwynt.

17 Ac mal hyn y gweleis i y mairch mewn gwel-
edigaeth, ac yr rydoedd gan rrei oeddent yn eiste
arnynt, lurigae tanllyd, ac o *livv'r* hyacinct a brwmstan,
a' pheneyr mairch oeddent megis penney llewod: ac
yn mynd allan oe geneye, tan a' mwg a' brwmstan,

18 A' thrayan y dynion y las gan y tri *yma, *'sef*   * hynn
gan y tan ar mwg, a'r brwmstan, y rrein y ddoyth
allan oe geneue hwynt.

16 Can ys y gallu hwynt 'sydd yn y geneyey, ac yny
cynffoney: can ys y cynffoney hwynt oeddent debic y
‡seirph, a pheney ganthynt, ar rrei hyn yrroeddent yn   ‡ nadroedd
drygu.

20 A' *relyw or dynion ny las gan y plae hyn, ny   * gweddilion
chymersont etyfeyrwch am weithredoedd y dwylaw y   gwargred
beydiaw ac addoli cythreylied, a *delwey aur ac arian,   * Gr. eidola
a' phres, a' mein, a' phrene, yrren ac ny allant *g*weled,
na chlywed na cherdded.

24 Ac ny chymersont hevyd ‡etifeyrwch, am y   ‡ ychweyth
mwrddwr, nae y *cyfareddion, nae y godineb, nae y   * rrinieu
lledrad*eu*.

Pen. x.

1 Bot y llyver yn agoret gan yr Angel.   6 Tyngu y mae ef na bydd
   mwy amser.   9 Rhoi y mae ef y llyfr i Ioan, yr hwn ys ydd yn ei
   vwyta.

A C mi welais Angel cadarn arall yn discyn or nef,
gwedy ‡ddillaty or wybren, *ac envys ar y ben,   ‡ gwisco
ac y wyneb ef ydoedd mal yr haul, ae draed ef oeddent   ‡ bwa'r glaw
mal *pilerey tan.   * colofnae

2 A Llyfr bychan oedd yn agored yny law ef, ac ef
y rroedd y droed ddehe ar y mor, ae *droed* ‡assey ar y   ‡ asw
ddayar,

3 Ac ef y lefoedd a lleis ywchel, mal by bei llew yn   * taran
rryo: a' gwedy darfod yddo lcfein, y seith *twrwf y   ‡ lafareson
‡wneython t y lleisey.   leissasont

4 A' gwedy darfod yr seith twrwf *gwneythyr y   * adrodd, leisio,
lleysiey, yroeddwn ar veder scryvenny: ac my glyweis
lleis or nef yn dwedyd wrthyf', Sela' r pethey y *leis-   * ddyvod
oedd y seith ‡twrwf, ac na scryvenna hwynt.   * taran

5 A'r Angel yr hwn y weleis i yn sefyll ar y mor ac
ar y tir, y *dderchafodd ey law yr nef,   * gododd

‡ yn, myn, ir

‡ mwyach,
　ymhellach.

* yw

‡ ymddiddan-
　odd

* ysa yn llwyr,
　bwyta ef y gyd

‡ *libellum*
　llyfran

‡ drachefn
* tafodeu

* gyd a mi,
　wrthyf

‡ ir
* caer

* olew wydden

6 Ac y dyngoedd ‡mewn yr vn ysydd yn byw yn dragowydd, yr hwn y creoedd y nef, ar pethey ydynt ynddo ef, ar ddayar ar pethey ydynt ynddy hi, ar mor ar pethey ydynt ynddo ef, na vyddey Amser ‡rrac llaw.

7 Ond yn nyddiey lleis y seithfed Angel, pan ddechreyo ef gany ar trwmpet, dyweddy y wneir dirgelwch Ddyw, mal y ddatcanoedd ef *yddy wasnaethwyr y proffwydi.

8 Ar lleis y glyweis or nef, y ‡chwedleyoedd eilweith a mi, ac y ddwad, Cerdda, cymer, y llyfyr-bechan ysydd yn llaw'r Angel, yr hwn ysydd yn sefyll ar y mor ac ar y tir.

9 Ac mi eythym at yr Angel, dan ddwedyd wrtho, Dyrro y mi y Llyfr-bychan. Ac ynte y ddwad wrihyfi, Eymer, *a llynca ef ac ef, y *c*wherwa dy vol*a di*, ond ef y vydd melys yn dy eney *di* mal mel.

10 Ac mi y gymereis y ‡llyfr-bychan o law yr Angel, ac y llynceis ef, ac yrydoedd ef yn velys yn vyn geney megis mel: a' chwedy y mi lynky ef, vy mol*a* y *c*wherwoedd.

11 Ac ef y ddwad wrthyf, Reid yd proffwydo ‡eilweith ymysc y bobloedd, ar nassioney, a'r *ieithioedd, ac y lawer o Vrenhinoedd.

Pen. xj.

1 Mesuro 'r templ. 3 Cyuodi dau test y gan yr Arglwydd, a'i lladd y gan y bestvil, 11 Eithyr gwedy hyn y ei derbyn y' ogoniant. 15 Derchafel Christ, 16 A' moli Dew y gan .24. henaif.

YNO yroed corsen y mi, yn debic y wialen, ar Angel y safoedd *gair *vy* llaw, ac y ddwad, Cyfod, a' mesyr temel Ddyw a'r allawr, ar rei ydynt yn addoli yndi *hi*.

2 Ar cyntedd yssydd or ty allan yr demel, bwrw allan, ac na vesyr ef: canys ef y roed yr ‡Cenetloedd, ac hwy y sathrant dan draed y dinas santeidd doy vis a deigen.

3 Ac mi rrof-*allu* ym doy dyst, ac hwy y prophwydant mil o ddiwarnodey a thrigen a doycant, gwedy *ey* ymwisco a llien-sache.

4 Yrrein ydynt y ddwy *bren-olif: ar doy canwylbren, yn sefyll gair bron Dyw'r ddayar.

5 Ac os ewyllysa vn y ‡clwyfo hwynt, y mae tan yn mynd allan oe geneye ynthwy, ac y ddinystr y *digas-ogion: ac os ewylllysa vn duyn y clwyso hwynt, mal hyn ‡y lleddir ef.

6 Gallu y sydd gan yrrein y *gayed y nef, rrac' yddi-'lawio yn nyddiey y pryffodolaeth hwynt, a' gallu y sydd ganthynt ar y dyfroedd y troi hwynt yn waed, ac y daro'r ddayar a phob pla, cyn vynyched ac y myn-nont.

7 A' phan ddarffo yddynt ‡cwplay y tustolaeth, yr *enifel y ddaw allan or pwll heb waylod, y rryfela yny herbyn hwy, ac y ‡gortrecha hwynt, ac y lladd hwynt.

8 Ae ‡cyrff hwynt y orwedd ar heolydd y dinas vawr, yr hon y elwir yn ysbrydawl Sodoma ‡ac Eifft, lle ac y *croeshoylwyd yn harlgwydd ni.

9 Ac *hvvy* or bobloedd, ar *genedlaythey, ar ‡ieith-oedd, ar *Cenetloedd y welant y cyrff hwynt tridie y a' haner, ac ny ddioddefant rroi y *cyrff hwynt mewn ‡beddey.

10 Ar rrei ydynt yn trigo ar y ddayar, y lawenhant arnynt hwy, ac y vyddant ‡siriys, ac y ddanfonant rroddion pawb at y gilydd: cans y ddoy broffwyd *yma, y anesmwythoedd ar y rrei oyddent yn trigio ar y ddayar.

11 Ac yn ol tridiey a haner, ysbryd y bowyd o ddiwrth Ddyw, aa ymewn yndynt hwy, ac hwy ‡safant ar y traed: ac ofn mawr y syrth ar y rrei y *gwelas hwynt.

12 Ac hwy glywont lleis mawr or nef, yn dwedyd wrthynt. ‡Drychefwch yma. Ac hwy *ddrycha*son*t yr nef mewn wybren, ae *digassogion hwynt y gwel-*s*ant hwy.

13 Ac yn yr awr hono ‡yrydoedd crynfa vawr ar y ddayar, ar ddecfed rran or dinas y syrth*ioedd y lavvr*, a' seith mil o *wyr y ‡las yn c*h*rynfar ddaya'r: a'r gweddilion a ofna*s*ant ac y rro*y*sont 'ogoniant y Ddyw ‡nef.

14 Yr eil gwae aeth hebio, *a'* syna, y trydedd gwae y ddaw ar vrys.

15 A'r seithfed Angel y ganoedd ar trwmpet, a lleisey mawr y *wneythpwyd yn y nef, dan dwedyd, Yn harglwydd ni ae grist ef y pieffant tyrnasoedd y ‡bud

‡ *Gr. 'adicesai.*
   i. wneuthur
   cam, ae drygu
* *gelynion*

‡ gau

‡ *ddiwedy*,
   'orphen
* *bestia.* i.
   bestvil

‡ celanedd
‡ a'*r*
* crogwyt
* *lvvythae*
‡ tavodeu
* *cadauera.*i.
   celanedd
‡ *monumentis*

* cyssurus

* hyn

‡ Escenwch
   Dewch i vyny
* gelynion

‡ bydd

* ddynion
‡ leddir
* celi

‡ oedd
* byt

hwn, ac ef y dyrnassa yn oes oesoedd. *Amen.*

16 A'r pedwar ar ygen o henafied, yr rein y eiste*dd-ent* ar y cadeyre gair bron Dyw, y syrthiasant ar y whynebey, ac addolasant Ddyw,

17 Dan ddwedyd, Yrydym yn diolch ytti, Arglwydd Ddyw hollallyawc, yr Hwn wyd, yr Hwn oy ddyd, ac yr Hwn *y ddaw: cans ti dderbyneist dy ally mawr, ac y ‡deyrnaseist.

18 Ar Cenetloedd y lidiasant, ath lid ti y ddeyth, ac amser y varny'r merw, ac y yrroi ‡gobrwy yth was naethwyr, y prophwydi, a'r Seinct, ac yr rrei y ofnoedd dy Enw, bychein, a' mawr, ac bot yty golli y rrein, ar ydynt yn dinystr y ddayar.

19 A themel Dyw oedd yn agored yn y nef, ac arch y *Testament ef y welspwyd yny demel, ac yroyddent mellt, a' lleisiey, a' tharaney, a chrynfa'r ddayar, a ‡chenllysc mawr.

Pen. xij.

1 Ymddangos a wnaeth yn y nef gwreic gwedy ymwisco a'r haul.
7 Mihacael yn ymladd ar ddraic, yr hwn 'sy yn ymlid y wreic.
11 Cahel y vuddygoliaeth trwy conffort y ffyddlonieit.

ARRYFEDDOD mawr y ymddangosoedd yn y nef: Gwreic gwedy ymwisco ar haul, ar lleyad *oedd* dan y thraed, ac ar y phen coron o ddeyddec seren,

2 Ac yrodoedd hi yn veichioc ac hi lefoedd dan dravaylu ar y thymp, a hi ddolyrioed yn barod y gael yscar llaw.

3 A' rryveddod arall ymddangosoedd yny nef, a' synna, dreic coch mawr a seith pen yddo, a dec corn, a' seith coron ar y ‡penney:

4 Ae gynffon ef y dynoedd trayan ser y nef, ac y bwroedd hwynt yr ddayar. Ar d*d*reic y safoedd gair bron y wreic, yr hon ydoedd yn barod y ga el yscar llaw, y vwytta y phlentyn hi, ‡yn hwy nac y genyd ef,

5 A' mab-‡wr y aned yddi, yr hwn y rreoley yr holl nasioney a gwialen hayarn: ay mab y gymer*sp*wyd y vynydd at Ddyw ac at y eisteddle ef.

6 Ar wreic y *giloedd yr diffeyth lle may ‡*gyf*le gwedy Ddyw y barottoi yddi, mal y gal'ent y phor thi hi yno mil o ddiwarnodey a thrigen a doy cant.

Marginal notes:

* eysteddle-oedd

* 'sy ar ddyvot 'orescenaist, y ddaethost y gael teyrnas

‡ taledigaeth

* ystafn, yr ammot

‡ chesair

‡ talaith

‡ pan y genit
* gwryw

* ffoodd
‡ ban

7 A' *rryfel oedd yny nef, Mihangel ae Angylion ef ymladdasant yn erbyn y dreic, ar dreic ymladdoedd ef ae Angylion ef.

‡ cad, brwydr

Yr Epistol ar ddydd Mihacael.

8 Ac ny ‡chawsont y llaw yn ycha, ac ny chafad y lle hwynt o hyny allan yn y nef.

‡ orthresant

9 A' bwrw allan y wneythpwyd y dreic mawr, yr hen sarph, yr hwn y elwir y *cythrel, a' Satan, yr hwn ysydd yn twyllo yr holl vyd: ys y vwrw y wneythpwyd ef yr ddayar, ae Angylion y vwrwyd allan gydac ef.

* diavol

‡ sioni

10 Yno mi glyweis lleis ywchel, yn dwedyd, Yrowron y mae iechid yn y nef, a' ‡grym, a thyrnas yn Dyw ni, a gallu y Grist ef: can ys cyhyddwr yn brodyr ni y vwrwyd yr llawr, yr hwn ydoedd yn y cyhyddo hwynt gair bron yn Dyw dydd a'nos.

‡ nerth

11 Ac hwy *gortrechasant ef trwy waed yr Oen, a' thrwy geir y testolaeth hwynt, ac ny charasant y bowyd hed ‡at marw.

‡ gorchvygesont

‡ angeu

12 Am hyny, llawenhewch, y nefoedd, a'r sawl *ydynt trigadwy yndynt hwy. Gwae yr rrei ydynt trigadwy yn y ddayar, a'r mor: cans y ‡cythrel y ddiscynoedd attoch chwi, yr hwn y sydd a llid mawr gantho, herwydd gwybod nad ydiw y amser ef ond byrr.

* 'sy, ydych

‡ diavol

13 A' phan gwelas y ddreic y vwrw yr ddayar, ymlid y wnaeth ef y wreic y *ddygoedd y mab yr byd.

* escorodd ar y gwr-ryw

14 A dwy adein eryr mawr y rroed yr wreic, yddi ‡hedfan yr diffeth, *yddy lle, ddys yny magi hi dros amser, ac amseroedd, ac hanner amser, rrac wyneb y sarph.

‡ y hedec
* yw

15 Ar sarph y vwroedd oe safn allan ar ol y wreic ddwr mal *llif*ddvvr*, ar veder cael y dwyn hi ffwrdd gan y llif*ddvvr*.

* llifeiriant

16 A'r ddayar y ‡cynorthwyoedd y wreic, ar *tir agoroedd ei geneu, ac y lyngcoedd y llif*ddvvr*, yr hwn y vwroedd y ddreic allan oe safn.

‡ helpioedd
* ddaiar

17 A' llidio a oruc y ddreic ‡yn erbyn y wreic, a' myned y wnaeth ef y rryfely yn erbyn gweddillion y hilogaeth hi, yrrein ydynt yn cadw gorchmyney Dyw, ac ysydd a thystolaeth Iesu Christ ganthynt.

‡ wrth

18 Ac mi sefeis ar *draethey mor.

*dyvot, y veisdon

GVVELEDIGETH IOAN.

Pen. xiij.

1. 8. Y bestvil yn twyllo yr ei argyoeddus, 2. 4. 12. Ac y gadarnheir *gan* vestil arall. 17 Braint not y bestvil.

86 — top left

AC mi weleis *enifel yn ‡cwny or mor, a' seith pen gantho, a dec corn, ac ar y gyrn ef dec coron, ac ar y beney ef enw *dirmigedic.

2 Ar ‡enifel rhwn y weleis i, oedd debic y lewpard, ae draed yn debic y *draed* arth, ae safn yn debic y safn llew: ar dreic y rroedd yddo ef y 'allu ae eisteddle, ac awdyrdod mawr.

3 Ac mi weleis vn oe beney ef mal gwedy *las yn varw, ae ‡glwyf marfol ef y iachawd, ar'holl vyd y rryfeddoedd, *ac aeth yn ol yr enifel.

4 Ac hwy dddolasant y ddreic yr hwn ‡rroedd gallu yr enifel, ac addolasant yr enifel, dan dwedyd, Pwy ysydd debic yr enifel, pwy ddychyn rryfely ac ef?

5 A' geney y rroed yddo ef, y ddwedyd mawr eyriey, a ‡dirmygon, a' gallu yrroed yddo ef, y *weithio doy vis a' deigen.

6 Ac ef agoroedd y eney mewn dirmic yn erbyn Dyw, y *ddirmygy y Enw ef, ae ‡dabernacl, ar rey trigadwy yny nef.

7 A'rroi y wneythpwyd yddo ef rryfely ar Sainct ac y *gortrechy y hwynt, a' gallu y rroed yddo ef ar bob cenedl ac ieith, a' nasion.

8 A' holl ‡breswylwyr y ddayar, y addolasont ef, yrrein nad yw y henwey yn escrifenedic mewn Llyfr y bowyd yr Oen, yr hwn y las er dechreyad y y *bud.

9 Y sydd a chlyst gantho, gwrandawed.

10 A's ‡tywys neb y gaethiwed, efo eiff y gathiwed: as lladd neb a chleddey, *a chleddey y lleddir: ‡llyma'r goddefeint, a' ffydd y Sainct.

11 Ac mi edrycheis ar enifel arall yn *cwny or ddayar, a doy corn oedd ‡gantho yn debic yr Oen, ond yn dwedyd yn debic yr dreic.

12 Ac ef y wnaeth cwbl ar allei yr enifel cynta wneythyr *oe vlaen, ac ef y wnaeth yr ddayar, ar rrey oyddent yn drygadwy yndi, y addoli yr enifel cynta, ‡clwyf marolaythys yr hwn, y iachawd.

13 Ac ef y wnaeth rryfeddodey mawr, ac y baroedd can y ddiscyn or nef yr ddayar, yn golwc y dynion.

Margin: * vestvil / ‡ codi / * cabl, sen, divenw / ‡ vestvil / * ladd, archolli / ‡ archoll, weli / * yddilynoedd yr bestvil / ‡ roes / * chableu / ‡ *farere.* i. wneuthur / * gablu / ‡ dyle / * gorchfygy / ‡ drigiolion. / * byd / ‡ dwc, arwein / * dir yw iddo gael ei ladd / ‡ hyn / * escen, codi / ‡ iddo / * ger ei vron / ‡ archoll angeuol

14 Ac ef a dwyllawdd ‡ddeiled y ddaiar gan yr
arwyddion, yrrei y oddefwyd yddo ef y gwneuthyr gair
bron yr enifel, dan ddwedyd wrthynt hwy y sawl
oeyddent yn drigadwy ar y ddayar, *am yddynt
wneythyr ddelw yr enifel, yr hwn y ‡glwyfwd a
chleddey, ac y vy vyw.

15 A' goddef y wneythpwyd yddo ef rroi *anadl y
ddelw'r enifel, mal y galley ddelw'r enifel ddwedyd, a'
pheri lladd cynifer *vn* nad addoley ddelwr enifel.

16 Ac ef y wnaeth y bawb, bychein a' a mawr,
cyfoethoc*ion* a thlawd*ion* rryddion a chaethion, y dderbyn
nod yny dwylaw dehey ney yny talceni,

17 Ac na allei neb na phryny na gwerthy, ond *y
gymerth yr nod, neu enw'r enifel, ney rrif y enw ef.

18 Ll'yma ddoethinep. *Y sawl ysydd synhwyrys,
cyfrifed rrif yr enifel: can ys rrif duyn ydiw, ae rif
ydiw chwechant, a' chwech a' thrigen,

‡ breswylwyr, gyfaneddwyr, drigiolion
* bot
‡ gavodd archoll gan y cleddyf
* yspryt
* hwn, sawl oedd arno
* yr hwn
‡ dyn

Pen. xiiij.

1 Rhagorawl compeini yr Oen. 6 Vn Angel yn menegi yr Euangel,
8 Vn arall yn menegi am gwymp Babylon, 9 A'r trydydd yn
rhybuddio *ffo rhac y bestvil. 13 Am ddedwyddit y sawl 'sy yn
meirw yn yr Arglwydd. 18 Am gynayaf yr Arglwydd.
* cilo

AC mi edrycheis, a' syna, Oen yn sefyll ar vynydd
Sion, a gyd ac ef pedeir mil a seith vgen mil,
gan vod enw y dad ef yn escrifenedic yny talceni
hwynt.

2 Ac mi glyweis lleis or nef, mal lleis llawer o ddyfr-
oedd, ac mal lleis *twrwf mawr: ac mi glyweis lleis
telynorion yn cany ar y telyney.
* taran

3 Ac hwy ganyssont mal caniat newydd gair bron y
trwn, a chair bron y pedwar enifel, ar henafied, ac
ny allei ‡vn-duyn dyscu y caniat hwnw, ond y
pedeir mil a'r seith vgein mil, y rrein y *brynwyd or
ddayar.
‡ neb
* brynesit

4 Yrrein ydynt y ‡gwyr ar nyd halogwyt *a
gwragedd: can ys ‡gweryfon ynt: *yrrein y ddi-
lynant yr Oen pa le bynac yr eiff: yrrein y brynwyd
oddiwrth y dynion, yn ‡ffrwyth cynta y Ddyw, ac ir Oen:
‡ sawl
* can, wrth
‡ morynion, diweir
* yr ol

5 Ac ny chafad twyll yn y geneye hwynt: can ys y
‡ vlaenffrwth

‡ *Gr. amoomoi.*
i. yn ddi
vrych, yn ddi
van, yn ddi-
nam, ddivei

‡ thavod

* 'ogoniant
* dayar

* dinas
‡ llid
* fformigrwydd

* uwchel
‡ nep
* bestvil

‡ dwallwd
* ynghwpa
ynghwpan

‡ escen, ddring

* *Gr. charag-
ma,* lluniedig-
eth
* anmyned,
ymaros

‡ er mwyn,
ym-plait
‡ trafayl

*Yr Epistol ar
ddydd y Meib-
ion gwirion.*

* Dod

maent heb *gyffeith gair bron trwn Dyw.

6 ¶ Ac mi weleis Angel arall yn hedfan *trwy ganol
y nef, ac Euengel tragywydd gantho, y y bregethy yr
rrei oeddent trigadwy ar y ddayar, ac y bob nasion, a'
chenedlaeth, ‡ac ieith, a' phobl,

7 Dan dwedyd a lleis ywchel, Ofnywch Ddyw, a'
rrowch *anrrydedd yddo ef: can ys, awr y varn ef y
ddoyth: ac addolwch yr hwn y wnaeth nef a ‡llawr,
a'r mor, a' ffynhoney y dyfoed.

8 Ac angel arall y ddilynoedd, dan ddwedyd, E
syrthioedd, e syrthioedd, Babylon y *gaer vawr *honno:*
can ys hi y wnaeth yr holl nasioney yfed o win ‡digof-
eint y *godineb hi.

6 ¶ A'r trydedd Angel y dilynoedd hwynt, dan
ddwedyd a lleis *mawr, Od addola ‡vn duyn yr
*enifel ae ddelw ef, ac erbyno y nod ef yny dalcen,
neu yn y law,

10 Hwnw y yf o win digoveint Dyw, yr hwn y
‡gymysgwd, o win pur *mewn phiol y ddigoveint ef,
ac ef y boenyr mewn tan a brymstan yn golwc yr
Angylion santaidd, ac yngolwc yr Oen.

11 A' mwg y poynedigeth hwynt y ‡ddrycha yn
dragywydd: ac ny chant orffwysfa na dydd na nos,
yrrein y addolant yr enifel, ae ddelw ef, a phwy bynac
y dderbyno *print y enw ef.

12 Llyma ‡goddefeint y Seint: ll'ym'a r rrei y
gadwant gorchmyney Dyw, a' ffydd Iesu.

13 Ac mi glyweis lleis or nef, yn dwedyd wrthysi,
Escrifena, Bendigedic ydynt y meyrw, yrrein ydynt
rrac llaw yn meyrw *yn yr Arglwydd. Velly y ddwed
yr ysbryd: can ys hwy y orffwyssant oddiwrth y ‡llafyr,
ae gweithredoedd y dilyn hwynt.

14 ¶ Ac mi edricheis, a' syna, wybren wen, ac ar yr
wybren vn yn eiste yn debic y Mab y duyn, ac ar y
ben coron aur, ac yn y law cryman llym.

15 Ac Angel arall y ddoyth allan or deml, dan lefen
a lleis ywchel wrth yr vn oedd yn eiste*dd* ar yr wybren
Bwrw y mewn dy gryman a meda: can ys amser
medi y ddeyth: am vod cyn*h*ayaf y ddayar yn ayddfed.

16 A'r vn oedd o eiste*dd* ar yr wybren, y vwroedd y
gryman ar y ddayar, a'r ddayar y vedwyd.

17 Ac Angel arall y ddeyth allan or dem'l, yr hwn
ᵧsydd yny nef, a' chanto hefyd cryman llym.

18 Ac Angel arall y ddeith allan oddiwrth yr allor,
yr hwn oedd a gallu gantho ar y tan, ac y lefoedd a
lleis ywchel ar yr vn oedd ar cryman llym gantho, gan
ddywedyd, Bwrw y mewn dy gryman llym, a' chascl*a*
vagadey gwinllan y ddayar: cans y maent y grawn hi
yn ayddfed.

19 Ar Angel y vwroedd y gryman llym ar y ddayar,
ac y doroedd y lawr gwinwydd gwinllan y ddayar,ac   ‡ bwll
y bwroedd hwynt y ‡gerwyn gwin vawr digofent Dyw.   * phwll,
                                                       gwascfa
20 a *phres gwin y ‡gwascwyd allan or *gaer, a   ‡ sathrwyt
gwaed y ddeith allan or pres-y gwin ‡cyfiwch a   * dinas
                                                       ‡ hyd
ffrwyney y meirch *cyd ac vncant ar bymthec o gef nei * rhyd mil a'
o dir.   chwechant
                                                       stad.

Pen. xv.

1 Saith Angel a' chanthynt saith y pla dywethaf. 3 Caniat yr ei a
orchvygasont y bestvil. 7 Y saith phiolae yn llawn o ddigofein
Dyw.

A C mi weleis arwydd arall mawr yn y nef a' rryfedd,
seith Angel a chantynt y seyth pla diwetha: cans
trwyddynt hwy llid Dyw y gyflawnwyd.

2 Ac mi weleis mal *by bei* mor gwydrol, gwedy y
gymysgy a than ar sawl y gawsant y llaw 'n ycha ar
yr *enifel, ae ddelw, ac ar y nod, ac ar rrif y enw ef,   * bestvil
yn sefyll ‡ar 'lan] y mor gwydrol, a thelyney Dyw   ‡ wrth
ganthynt.

3 Ac hwy ganasant ganiat Moysen gwasanaethwr
Dyw, a chaniat yr Oen, dan ddwedyd, Mawr, a 'rryfedd
ydynt dy weithredoedd, Arglwydd Ddyw hollallyawc:
cyfiawn a' chywir *ynt* dy ffyrdd, Brenin y Seint.

4 Pwy nath ofna di Arglwydd, a gogoniantu dy
Enw? cans ti yn unic wyd santeidd, ar holl nasioney
y ddont ac addolant gair dy vron *di:* cans dy *varney   * vrodieu
di* ydynt cohoyddys.

5 Ac yn ol hynn my edrycheis, a' syna, yrydoedd
tem'l ‡Tabernacl y tustolaeth yn agored yn y nef.   ‡ lluest, tent,
                                                          tyley
6 A'r seith Angel y ddeythont allan or dem'l, yrrein
oeddent ar seith pla ganthynt, ae dillad oedd llien
pur *gloyw, ac wedy ymwregysu ynghylch y broney a   * claer, dys-
gwregysey aur.   claer

7

7 Ac vn o'r pedwar enifel y roedd yr seith Angel seith phiol aur yn llawn o ddigovent Dyw, yr hwn y sydd yn byw yn *dragywydd.

8 Ac yrydoedd y demel yn llawn o vwg gogoniant Dyw ae allu, ac ny doedd neb yn abyl y vyned y mewn yr demel, hed yn darfod gyflewni seith pla y seith Angel.

Pen. xvj.

1 Yr Angelon yn tywallt ei phiolae yn llawn digofeint. 6 A' pha plae 'sy yn dyvot o hyny. 15 Rybudd y ymochelyd a' gwilied.

AC mi glyweis lleis mawr *allan* or deml, yn dwedyd wrth yr seith Angel, Ewch *ffwrdd, a' thywellwch allan seith phiol digovent Dyw ar y ddayar.

2 Ar cynta aeth, ac y dywalloedd y phiol ar y ddaiar: a' chornwyd drwc a' dolyrys y gwympoedd ar y ‡gwyr 'oedd a nod yr enifel arnynt, ac ar y rrei y addolsant y ddelw ef.

3 Ar eil Angel y dowalloedd y phiol ar y mor, ac ef aeth mal gwaed *duyn-*vvedy*-marw, a' phob peth byw yny mor y vy varw.

4 A'r trydedd Angel y dwaloedd y phiol *allan* ar yr avonydd a' ffynoneyr dyfroedd, ac hwy aethont yn waed.

5 Ac mi glyweis angel y dyfroedd yn dwedyd, Arglwydd, Yr wyd yn gyfiawn, yr Hwn wyd, ac yr Hwn y vyost, a' sancteidd, achos *yd varny y pethey ‡yma.

6 Cans hwy gollasant gwaed y Seint, a' phroffwydi, ac am hyny ti y rroddeist yddynt gwaed y yfed: cans teilwng yddynt *y hynny*.

7 Ac mi glyweis arall or *Cysegr yn dwedyd, Iey, Arglwydd Ddyw hollallyawc, cywir a' chyfiawn ydynt dy varney di.

8 A'r pedwerydd Angel y dwalloedd *allan* ei phiol ar yr haul a *gallu* y rroed yddo y *poeni dynion trwy wres tan,

9 A'r dynion y aent yn boeth can *wres mawr, ac y ‡ddwedasant ddrwc am enw Dyw, *oedd a meddiant gantho ar y plae hyn, ac ny ‡chymersont eteyfeirwch y rroi gogoniant *yddaw.

10 A'r pymed Angel y dwalloedd y phiol allan ar eisteddle yr ‡enifel, ae deirnas ef aeth yn dywyll, a'

ddicter, llid, soriant
* oes oesoedd

* y fford

‡ *homines* dynion

* ceilan

* yt
‡ hynn

* allawr

‡ *Gr. caymatisai. i.* poethi
* *cauma. i.* poethder.
‡ gablent, ddivenwasant
* ys ydd
‡ ddaethant i'r iawn
* 'sef y Dduw

‡ bestfil

chnoi y wneythont y tafodey gan *ddolyr,

11 A' ‡difrio y wneythont Dyw or nef gan y *poenae, a chan y cornwydon, ac ny chymersant eteifeyrwch am y gweithredoedd.

12 A'r chweched Angel y dywalloedd *allan* y phiol ar yr afon vawr Euphrates, ‡a'r dwr o honi y sychoedd y vyny*dd*, mal y gellid parottoi ffordd Breninoedd y Dwyren.

13 Ac mi weleis tri ysbryd aflan yn debic y *ffrogaed, yn dyfod allan o eney'r dreic, ac allan o eneyr ‡enifel, ac allan o eney'r proffwydi ffeilston.

14 Canys ysbrydion cythreyled ydynt, yn gwneythyr gwrthiey, y vynd at Vrenhinoedd y ddayar, a'r holl vyd, y cascly hwynt y ryfel y dydd mawr hwnw *y *bie* Dyw hollalluawc.

15 Syna, yr wyf yn dyfod mal lleidyr, Bendigedic ywr vn y wilio ac y gatwo y ddillad, rrac yddo rrodio yn ‡hoeth, a rrac gweled y *vrynti,

16 Ac hwy ymgynyllasant ynghyd y le y elwir yny'r Ebryw, Arma-gedon.

17 ¶ A'r seithfed Angel y dwalloedd *allan* y phiol ir *awyr: a 'lleis ywchel y ddeyth allan o deml y nef oddiwrth yr eisteddle, yn dwedyd, Ef y ‡dderfy.

18 Ac yr oedd lleisiey a thraney, a' mellt, ac yroedd crynfa vawr y ddayar, cyfryw na by er pen *mae dynion ar y ddayar, crynfa'r ddayar cyment.

19 A' rrany y wneithpwyd y gaer vawr yn deir ran, a' syrthio wneithont ceyrydd y nasioney: a' Babylon vawr y ddeyth mewn cof gair bron Dyw, y rroi yddi cwppa*n* gwin ‡digofeint y lid ef.

20 A' phob ynys y ffoedd *ymaith*, ac ny chad *cvvrdd* ar ‡mynydde.

21 A chwympo y wnaith cenllys mawr, mal *pwyse, or nef ar y dynion, a'r dynion y ‡rregasant Ddyw, am plaae yr cenllys: can ys mawr *anianol oedd y phla *hi·*

* 'ovid
‡ chablu
* dolyrie.

‡ ai dwr hi

* lyffaint

‡ bestfil

* yddo

‡ noeth
* gwilydd

* wybr
‡ dderyw,
  ddarvu

* vu

‡ dinas

‡ baar
* glennydd
‡ cessair
* talentae
‡ gablasont
* dros ben

Pen. xvij.

3 Yscythrad y putain vawr. 8 Hei phechodae a'i phonedigeh.
14 Goruchafieth yr Oen.

AC vn or seith Angel oedd ar seith phiol gantho y ddoeth, ac ymchwedleyoedd a mi, dan ddwed-

‡ Debre, Degle
* ddihayreb

yd wrthyf, Dyre*d:* mi ddangosaf ytti ddamnedig-
eth y bytten *vawr ysydd yn eiste*dd* ar lawer o ddyfr-
oedd,

‡ thrgianwyr
‡ ar win

2 Gyda'r hon y mae brenhinoedd y ddayar gweddy
godineby a deiled y ddayar gwedy meddwi ‡a gwin y
godineb hi.

* vestvil
‡ ac yscarlat
* cablae

3 Ac ef ymdygoedd yn yr ysbryd yr diffeith, ac mi
weleis *g*wreic yn eiste*dd* ar *enifel vn lliw ‡ar scarlla,
yn llawn o enwey *enllibiys, a seith pen gantho a
dec corn.

‡ purpur

4 A gwisc y wreic oedd ‡pwrpwl, a' scarlla, a goreyred
ac aur, a mein gwerthfor, a' pherle, a chwppa*n* aur
oedd ganthi yny llaw, yn llawn o ‡wrthweyneb a *brynti
y godineb hi.

‡ ffeid betheu
* aflendit

5 Ac yny thalcen yrydoedd enw yn escrifenedic,
Dirgelwch, Babylon vawr, mam pytteindra, a gwrth-
weynebe yr ddayar.

‡ yn aruthrol,
yn ddirvawr

6 Ac mi weleis y wreic yn veddw gan waed y Seint,
a' chan waed Merthyron Iesu: a' phan y gweleis hi, mi
rryveddeis *a' rryvedd mawr:

‡ bestfil

7 Ar angel y ddwad wrthyf, Pa ham yrwydd yn
rryfeddu? mi dangosaf yt ddirgelwch y wreic, a'r *enifel
ysydd yny dwyn hi, yr hwn ysydd a seith pen gantho, a
dec corn.

‡ y bestfil
* gyfergoll
golledigeth

8 *Yr enifel y weleist, y vu, ac nid ydiw, ac ef y
‡ddaw y vyny*dd* or pwll heb way lod, ac ef eiff y *ddi-
nystraeth, a' deiled y ddayar, y rryfeddant (enwey y
rrein nyd ynt yn escrivennedic mewn Llyfr y bowyd er
dechrey'r bud) pan edrychant ar yr enifel yr hwn
ydoedd, ac nyd ydiw, ac eto y mae.

9 Ll'yma'r meddwl *ys ydd* a doethinep gantho. Y
seith pen seith mynydd ydynt, ac yrrein ymaer wreic
yn eiste, ymaent hevyd yn seith Brenin.

10 Pymp y syrthioedd, ac vn ysydd, ac arall ysydd
heb ddyfod etto: a' phan y ddel *ef,* rreid yddo parhay
ychydic o amser.

* bestfil
‡ *erat. i.* oedd

11 Ar *enifel yr hwn y ‡vu, ac nyd ydiw, ys efe
ywr wythfed, ac y mae yn vn or seith, ac ef eiff y
ddinystraeth.

12 A'r dec corn y weleist, dec Brenin ydynt, yrrein
ny chawsont etto vrenhiniaeth, ond hwy gant *g*allu mal
Brenhinoedd mewn vn awr gydar enifel.

13 Yrrein ysydd ar vn meddwl ganthynt, ac hwy rroddant ey gallu, ae awdyrdod ‡yr enifel.　　*ir bestfil*

14 Yrrein y ymladdant ar Oen, a'r Oen y gorchfyga hwynt: cans ef ydiw Arglwydd arglwyddi, a Brenin brenhinoedd, a'r rrey ysydd ar y *rran ef, ‡hwy a elwid ac y ddetholwyd, a' ffyddlawn ynt.　　‡ du, blaid ‡ galwedigion ac etholedigion a' ffyddlolonion

15 Ac ef y ddwad wrchyf', Y dyfroedd y weleist, lle mae'r bytten yn eiste, pobl ydynt, a' thyrfae, a nasioney ac *ieithoedd.　　*tavodeu

16 A'r dec corn y weleist ti ar yr enifel, yrrei ydynt y gasha y buttein, ac y gwna hi yn vnic ac yn ‡ho eth, ac hwy y vwyttant y chig, ac y llosgant hi a than.　　‡ noeth

17 Cans Dyw *rroedd yny caloney y gyflawni y ewyllys ef, ac y wneithur trwy *gyf*ndeb, ac y roi y teirnas yr enifel, hed yn gyflewnir 'eiriey Dyw.　　*a roes, a ddodoedd

18 A'r wreic y weleist, y ‡gaer vawr idiw, yr hon y sydd yn teirnasu ar Brenhinoedd y ddayar.　　‡ dinas

Pen. xviij.

3. 9 Bot *cariadae y byt yn dristion am gwymp y putein o Babylon. 4 Rhybudd y bopul Ddew y gilio allan oi ‡chyvoeth hi, 20 Eithyr yr ei 'sydd o Ddew, ysydd ac achos yddynt y lawenechu am y dinistr hi.　　*yr ei sy yn caru'r byt ‡ arglwyddieth

AC yn ol hyn, mi weleis Angel *arall* yn *dyfod y lawr or nef, a' gallu ma wr ganto, a ‡goleyo wnaeth y ddayar gan y 'ogoniant ef.　　*descen ‡ llewychu

2 A llefen y wnaeth ef yn *rrymys a lleis ywchel, dan ddwedyd, ‡E syrthioedd, ef syrthioedd, Babylon y *gaer* vawr *hono*, ac *y mae hi yn ‡drig*adle* yr cy- threiled, a' chadwraeth pob ysbryd aflan, a *nyth pob ederyn aflan ‡cas.　　*gadarn, gryf, groch ‡ Neur *hi aeth. ‡ drigfan *custodia cadwrieth ‡ a dygasoc

3 Cans yr holl nasioney y yfasont o win digofent y godineb hi, a Brenhinoedd y ddayar y wneythont odineb *yngh*yd a hi, a marsiantwyr y ddayar eithont yn gyfothog*ion* gan amylder y moythe hi.

4 Ac mi glyweis lleis arall o'r nef yn dwedyd, Ewch allan o *hi vympobl, rrac ywch vod yn gygyf- ranawl oe phechodey, ac rrac ywch dderbyn *gyfran* oe phlae hi.　　*hanei ‡ ney cael

5 Can ys y phechodey hi y ddeythont y vyny*dd* hed y nef, a' Dyw y gofioedd y enwiredd hi.

6 *Telwch yddi mal p taloedd hi y chwi, a' rrowch　　*Gobrwywch hi mal y gobr- wyoedd hi chwi

‡ ddau cymeint

* veint

‡ thristwch,
girad

* 'alar, cwyn-
van, cwynofain

‡ damna

* wylan

‡ chenneu,
lloscïat, photh-
iat

* Och och

* uch

‡ rrac llaw

‡ byssi

* scarlet

‡ Gr. elephan-
tinon. i. ddaint
yr elephant

* bren

‡ elydn

* marmore

‡ canel

* wylment

‡ thus

* oyl, yyl

‡ pheillied,
fflwr

* yscrublieit

‡ meirch

* tewion

Gr. lampra. i.
claer, dysclaer,
rhagorawl

* Och, Wban

‡ scarlat

yddi yn *ddoy* ddyblic yn ol y gweithredoedd hi: *ac* yny cwppa*n* y lanwoedd hi y chwi, llenwch yddi hi ‡y *ddoy* ddybllic.

7 Yn gymeint ac y gogonianoedd hi y hun, ac byw mewn moythe, *yn* yr vn *modd rrowch yddi poen a ‡thrymder: cans y mae hi yn dwedyd yny chalon, yr wyf yn eiste yn vrenhines, ac y nyd wyf yn weddw ac ny welaf dim *wylofent:

8 Am hyny yn yr vn dydd y ddaw y phlae hi, *'sef* myrfolaeth, a thristwch, a' newyn, a' hi losgir a than: cans cadarn ydywr Arglwydd Ddyw, yr hwn y ‡barna hi.

9 A' brenhinoedd y ddayar y *ochant amdeni, ac y cwynant hi, y rrein y wneithont godineb, ac y vuont byw yn voythys ynghyd a hi, pan gwelant mwg ‡y *thanllwyth hi,

10 Ac hwy safant ymhell oddiwrthi gan ofn y phoen hi, dan ddwedyd, Gwae *ni*, gwae *ni*, y gaer vawr *hono* Babylon, y gaer gadarn: can ys mewn vn awr y ddoeth dy varn *di*.

11 A' marsiantwyr y ddayar y wylant ac y cwynant *ddywch y phen: can ys ny does neb yn prymy y *g*war hwy ‡mwy *navvr*.

12 Marsiandiaeth o aur ac arian, a' maen gwerthfawr, a pherle, a' ‡llïein-mein, a' phwrpul, a' sidan, ac scarlla a phop rryw o goed *thyin, ac o bob llestr o ‡ascwrn morfil, a' phop llestr o *goed gwerthvawrocaf, ac o ‡bres, ac o hayarn, ac o *vaen *mynor,

13 Ac o *sinamon, ac erogley, ac *ireyd a' ‡ffran-kynsens, a' gwin, ac *olew, a ‡chan man, a' gwenith, ac *enifeilied, a' defeid, a' ‡chyphyle, a' siaredey, a gwasnaethwyr, ac eneidiey dynion.

14 (A'r avaley y drachwenychoedd dy eneid *ti*, ymadawsant a thi, ar holl pethey *breision, a gwychion aethant ffwrdd oddiwrthit, ac ny chey *gyhvvrdd* ac hwynt mwy*ach*)

15 Marsiantwyr y pethey hyn yrrein ymgofoythog-asant, y safant ymhell oddiwrthi hi, rrac ofn y phoyn hi, yn wylo ac yn ochein,

16 Ac yn dwedyd, *Gwae *ni*, gwae *ni*, y gaer vawr hono, y ddillattawyd mewn llien mein, a' phwrpul, ac ‡scarlla, a' chwedy goreyro ac aur, a maen gwerthfawr,

17 Cans mewn vn awr y cyfoeth *mawr y ddiffeith-
‡oedd. A' phob *llonglywydd, ar holl pobl ysydd yn
‡occopio llongey, ar llongwyr, ar sawl bynac ydynt yn
trafaylu ar y mor, y safant ymhell,
  18 Ac y lefant, pan gwelant mwg y *thanllwyth
hi, dan ddwedyd, Pa'ry gaer oedd debic yr gaer vawr
hon?
  19 Ac wy vwrant ‡ddwst ar y penney, ac y lefant
dan wylo, ac ochein a dwedyd, Gwae, gwae, y gaer
vawr, yn yr hon y cyvothogwyt oedd a llongey gan-
tynt ar y mor, trwy y *chost hi: cans mewn vn awr
hi ddiffeithwyd.
  20 Y nef, llawenha arnei, ar ebostolion sancteidd, a'r
prophwydi: cans Dyw ‡y roedd ych barn chwi erni.
a pherleu:
  21 Ac yno vn Angel cadarn y *gwnoedd maen
megis maen melin, ac y bwroedd yr mor, dan ddwedyd,
Ar vath ‡rrym hyn y bwrir y gaer vawr Babylon, ac
ny cheir hi mwyach.
  22 Ac ny chlywir, yno ti mwy lleis telynorion, a'
*chantoried, a' phibyddion, a' thrwmpedyddion, ac ny
‡chyhwrddir ac vn creftwr, pa grefft bynac vo ynoti
mwy, ac ny chlywir ‡lleis maen melin ynoti mwy.
  23 Ac ny welir *'oleyni canwyll ynoti mwy: ac ny
chlywir lleis priodasvab a phriodasverch ynot i mwy:
can ys dy varsiandwyr di oeddent *bendevigion y
dddayar: ac ath ‡cyfareddion y twyllwyd yr holl
nasioney.
  24 Ac yndy hi y ‡gafad cyvvrdd a gwaed y proff-
wydi, a'r Seint, a phawb ar y las *yny ddayar.

* cymeint
‡ -iwyt, aeth
  yn ddiffaith
* perchenlong
‡ trino

* chenneu,
phoethfa

‡ lwch

* Gr. timiotes.
  i. gwerth,
  gwerthvawredd

‡ a roes, 'sef
  ych dialodd

* gymerth,
  gododd vaen

‡ wth, yrr

* cherddorion
‡ cheffir
* twrwf, sain

‡ llever,
  llewych,
  'oleuad
* wyr mawr
‡ rinie, swyn-
  ion, sybelden-
  weith, wiscrefft
‡ caffat
* ar

Pen. xix.

1 Roi moliant y Ddew am varnu 'r putein, ac am ddial gwaed ei
weision. 10 Ny vynn yr Angel ei addoli. 17 *Galw 'r ehediait
a'r adar ir lladdfa.

AC yn ol hyn, mi glyweis lleis *ywchel gan dyrva
  vawr yny nef, yn dwedyd, Hallelu-iah, iechyd a'
gogo niant, ac anrrydedd, a' gallu y vo yr Arglwydd yn
Dyw ni.
  2 Cans cywir a' chyfiawn ydynt y varney ef: cans
ef y varnoedd y byttein vawr, yr hon y lygroedd y
ddayar ae godineb, ac y ddialoedd gwaed y weison y

* mawr

gollwyd gan y llaw hi.

3 Ac eilwaith hwy ddwedasant, *Hallelu-iah:* ac y mwg hi y ‡drychafoedd yn dragywydd.

‡ escennodd
gododd

4 Ar pedwar ar ygen o henafied, ar pedwar enifel y syrthiasant *y lavvr*, ac addolasant Ddyw, oedd yn eiste*dd* ar yr eisteddle, dan ddwedyd, Amen, Hallelu-ia*h:*

5 A' lleis y ddoeth allan o'r eisteddle, yn dwedyd, Molianwch y*n* Dyw ni, y holl weision, ar rrei ydych yny ofni ef bychein a' mawr*ion.*

6 Ac mi glyweis lleis mal tyrfa vawr, a' mal lleis llawer o ddyfroedd, ac mal lleis t*a*raney cedyrn, yn dwedyd, Hallelu-ia*h:* can ys *yn* Arglwydd Ddyw holl-alluawc a deyrnasoedd.

7 Gwnawn yn llawen a llawenychwn, a 'rroddwn *g*ogoniant yddo ef: achos dyfod priodas yr Oen, ae wreic ef y ymbarattoedd.

8 A' chanattay y wneithpwyd yddi, ymwisco a *llien-mein ‡pur, a' dysclaer: can ys y llien-mein ydiw cyfiawnder y Saint.

* bysso
‡ 'lan

9 Ac ef y ddwad wrthyf, Escrivenna, Bendigedic ynt y rrei y elwyr y *wledd priodas yr Oen. Ac ef y ddwad wrthyf, Y geiriey hyn y Ddyw ydynt *g*ywir.

* swper

10 Ac mi syrthieis gair bron y draed ef, y addoli ef: ac ef y ddwad wrthyf, *Gwyl rrac gwneythur hynny: yr wyfi yn gydwasnaethwr a thi, ac *vn* oth vrodyr, ysydd gantynt testolaeth *y* Iesu, addola Ddyw: can ys tustolaeth *y* Iesu ydiw ysbryd y bryffodolaeth.

* Ymogel, ym-
ochel, gogel.

11 Ac mi weleis y nef yn agored, a' syna march gwyn, ar vn y eisteddoedd arno, y elwid, Fyddlawn a' chowir, ac y mae ef yn barny ac yn ymladd yn gyf-iawn*der.*

12 Ae lygeid ef oeddent mal flam dan, ac ‡ar y ben ef oeddent llawer o *goraney: ac yr ydoedd gantho enw yn escrivenedic, yr hwn ny ‡adnaby neb ond ef y hun.

‡ am
* daleithieu
‡ wyddiat

13 Ac ef y ddillattawd a gwisc gwedy *taro mewn gwaed, ae enw ef y elwir GAIR DYW.

‡ throchi

14 A'r llyedd*vvyr* oeddent yny nef, y ddilinasont ef ar veirch gwnion, gwedy ymwisco a llien-mein gwyn ‡glan,

‡ a' phur

15 Ac oy eney ef yr aeth allan cleddey llym, y *daro ac ef, yr ‡cenedloedd: can ys ef y rriola hwynt

* y ladd

a gwialen hayarn, *ac ef yw yr hwn y sydd yn sathry * cans, o bleit,
y ‡winwasc *ddigofent, a' llid Dyw hollalluawc. ‡ pwll gwin

16 Ac y mae gantho ‡yny wisc, ac ar y vorddwyd * y winfa * cynddaredd
enw escrivenedic, BRENHIN Y BRENHIN- ‡ ar
OEDD, AC ARGLWYDD YR ARGLWYDDI.

17 Ac mi weleis Angel yn sefyll yny'r haul, ac yn
llefen a lleis ywchel, dan ddwedyd wrth yr holl adar
oeddent yn *hedec trwy ganol y nef, Dowch, ac ym- * hedfan
gynyllwch ynghyd at ‡swper y Dyw mawr,

18 Mal y galloch vwytta cig Brenhinoedd, a' chig
pen captenied, a chig *gvvyr* cedyrn a' chig meirch, ar
rrei ydynt yn eiste arnynt, a chig *gvvyr* ryddion a'r
ceithon, a' bychein a' mawr*ion.*

16 Ac mi weleis *yr enifel, a brenhinoedd y ddayar, * bwystvil
ae rryfelwyr gwedy ymgynyll ynghyd y ryfely yny
erbyn ef, oedd yn eiste ar y march ac yn erbyn y
vilwyr.

20 Ond yr ‡enifel y ddalwyd, ar proffwyd falst ‡ bestfil
ynghyd ac ef yr hwn y wnaeth gwrthiey gair y vron
ef, trwyr rrein y siomoedd ef hwynt y dderbynasant
nod ‡yr enifel, ar rrei addolasant y ddelw ef, Y ddoy ‡ y bestfil
*yma y vwriwyd yn vyw yr pwll tan yn llosgi a * hyn
brymstan.

21 A' *relyw y las a chleddey'r vn ys ydd yn eiste*dd * lleill
ar y march, yr hwn *gleddey* 'sy yn dyuot allan oe eney,
ar holl adar y lenwid yn llawn oe cic *hvvy.*

Pen. xx.

2 Bot Satan yn rhwym dros dalm o amser,   7 Ac wedy ei ellwng
yn rhydd, yn poeni yr Eccles yn athrwm.   10, 14 Ac yn ol hyny
barnu'r byd, y vwrw ef a'r ei y' ddaw ir pwll tan.

AC mi weleis Angel yn discin or nef, a' chanto
*agoriad y pwll heb waylod, a' chadwyn vawr * allwydd
yny law.

2 Ac ef y ddalioedd y ddreic yr hen sarff *hono,* yr
hwn ydiw'r ‡cythrel a Satan, ac y rrwymoedd ef *dros* ‡ diavol
vil o vlynyddoedd,

3 Ac y bwrioedd ef yr pwll heb waylod, ac y goar-
chaeodd ef, ac y seloedd, *y drvvs* arno, megis na alley
siomi 'r bobl mwy*ach,* nes cyflewni 'r mil o vlynyddey:
can ys yn ol hyny rreid yw y ollwng ef dros ychydic o
‡amser. ‡ enhyd

* las
‡ bestfil

‡ 'sef vyddant

* marwoleth,
  angeu
‡ yr ei hyn

* twad, swnd
‡ escenasont
  aethan} y
  vyny
* crstra. i.
  cestyll, lluestai
‡ ysodd, bwyta-
  odd, divaodd
* A' diavol
‡ y bestfil
* geuoc
‡ wynep, wydd
* ciloedd

‡ roes
* yntho
‡ ac angeu

‡ Ac angeu

* angeu

4 Ac mi weleis eisteddleoedd: ac hwy eisteddasant arnynt, a' barn y rroed yddynt hwy, ac *mi vveleis* eneidiey y rrei, y *dorrwyd y peney am dystolaeth Iesu, ac am eir Dyw, a'r rrei nyd addolasant yr ‡enifel, nae y ddelw, ac ny chymersont y ‡nod ef ar y talceney, ney ar y dwylaw: ac hwy vyont vyw, ac y deirnasasant gyd a Christ mil o vlunyddey.

5 Ond y gweddil or gwyr meirw ny ‡vyont vyw eilweith, nes diweddy y mil vlynyddey: hwn ydiwr cyfodiad*igeth* cyntaf *o'r meirvv.*

6 Bendigedic a santeidd ywr vn, ysydd a rran yddo yny cyfodiad*igeth* cyntaf: *can ys* nyd oes gan yr eil *myrfolaeth veddiant ar ‡y *cyfryvv* rei: ond hwy vyddant *yn* offeirieyd Dyw a' Christ, ac y deirnasant gyd ac ef mil o vlynyddey.

7 A'gwedy darfod y mil blynyddey, Satan y ellingyr allan oe garchar,

8 Ac ef eiff allan y dwyllaw'r bobl, yrrein ydynt ymhedwar ban y ddayar: *nid amgen* Gog a' Magog, y gascly hwynt ynghyd y rryfel, rrif y rrein *'sydd* mal *tyuod y mor,

9 Ac hwy ‡ddrychafasant y wastad y ddayar, yr rein ymgylchynesont *pebyll y Saint, a'r dinas caredic: eithyr tan y ddiscynoedd oddiwrth Ddyw or nef, ac y ‡llyncoedd hwynt.

10 *A'r cythrel yr vn y twylloedd hwynt, y vwrwd y bwll o dan a' brymstan lle poenir yr ‡enifel, a'r proffwyd *ffalst dydd a' nos yn dragowydd.

11 Ac mi weleis eisteddle mawr gwyn, ac vn yn eiste*dd* arno, oddiwrth ‡olwc yr hwn y *ffoedd y ddayar a'r nef, ac ny chafad oe lle hwy mwy*ach.*

12 Ac mi weleis y meirw, mawr*ion* a' bychein yn sefyll gair bron Dyw: a'r llyfre agorwyd, a' llyfr arall agorwyd, yr hwn ydiw *llyfr* y bowyd, a'r meirw y varnwyd wrth y pethey oeddent yn escrivenedic yn y llyfre, yn ol y gweithredoed *hvvynt.*

13 A'r mor y ‡vwroedd y vynydd y meirw oeddent *yndi, ‡a' myrfolaeth ac yffern y rroisont y vyny*dd* y meirw oeddent yndynt hwy: a' barny wneythpwyd ar bawb yn ol y gweithredoedd.

14 ‡A' myrfolaeth ac yffern y vwriwd y bwll tan: hwn ydiwr eil *myrfolaeth.

15 A' phwy bynac ny chafad yn escryfenedic mewn Llyfr y bowydy vwriwd y bwll y tan.

Pen. xxj.

3. 24. Gwynvydedic cyflwr yr ei dywiol,   8. 27 A thruan helhynt
yr ei andywiol.   11 Agwedd y Caersalem nefawl, ac am wreic
yr Oen.

AC mi weleis nef newydd, a' dayar newydd: cans y nef cyntaf, ar ddayar cyntaf eithont heybio, ac ni doedd *dim* moor mwy.

2 A' *myvi* Ioan y weleis y dinas santaidd Caersalem newydd yn di scin or nef oddiwrth Ddyw, gwedy y thrwsio mal priodasverch ar vedr y ‡gwr.   ‡ eu, ei, i, hi

3 Ac mi glyweis lleis mawr allan or nef, yn dwedyd, Syna, *Tabernacl Dyw gyda'r dynion, ac ef y dric   * lluestyy gydac hwynt, ac hwy y vyddant bobyl yddo ef, a' Dyw y hun, y vydd y Dyw hwy ynghyd ac ynthwy.

4 A' Dyw y sych ymaith yr oll ddeigre oddiwrth y llygeid: ac ny bydd dim myrfolaeth mwy, na thristwch, na liefein, ac ny vydd dim poen mwy: cans y pethey cyntaf eithont heybiaw.

5 Ar vn y eisteddoedd ar yr eisteddle, y ddwad, Syna, yrwyf yn gwneythur pob peth oe newydd: ac ef y ddwad wrthyfi, Escrifena: can ys y maent y geiriey yma yu ffyddlawn ac yn gywir.

6 Ac ef y ddwad wrthyfi, E ddervy, mi wyf ‡α ac ω, y   ‡ *Alpha ac* dechreyad ar diwedd. Mi rrof yr vn y sydd sychedic,   *Omega* o ffynon dwr y bowyd yn *rrydd.   * rat

7 Yr vn y orchfyga, y geiff etifeddy yr holl pethey, ac mi vydda Ddyw yddo ef, ac ynte vydd mab y miney.

8 Ond yr ofnoc, ar *anghredadwy, ar ‡cas-ddynion,   * digred, yr ei a'r llyaswyr, ar pyteinwyr, ar ‡cyfareddwyr, ar delw-   eb gredu addolwyr, a phob celwddoc y rran hwynt y vydd yny   ‡ yr ei sceler pwll, ysydd yn llosgi o dan a' brymstan, yr hwn ydiwr   ‡ swynwyr, eil myrfolaeth.   sibyldenwyr

9 Ac vn or seith Angel, yrrein oeddent ar seith phiol ganthynt yn llawn or seith pla diwethaf y ddoyth attaf,   * Dyred. ac ymddiddanoedd a mi, dan ddwedyd, *Dabre: mi   Degle ddangosaf ytti y priodasverch, gwreic yr Oen.

10 Ac ef ym dugoedd i ymaith ynyr ysbryd y ‡'lan   ‡ vynydd ywchel vawr, ac y ddangosoedd y mi y dinas vawr, Caer-salem santeidd, yn discin alllan or nef oddiwrth Ddyw,

11 A' gogoniant Dyw genthi, ae discleyrad hi oedd debic y vaen gwerthvawrysaf, megis maen Iaspar *eglaer mal crystal,

crystallizanti

12 Ac yrydoedd yddi ‡vagwyr vawr ywchel, a' doyddec porth *iddi*, ac wrth y pyrth doyddec Angel, ac enwey yn escrivenedic, yrrein ydynt doyddec llwyth ‡meybion yr Israel.

‡ gaer, vur

‡ plant

13 Ar barth y Dwyrein *yr oedd* tri phorth, *ac* ar *du* y Gogledd tri phorth, ac ar *tu* y Dehey tri phorth, *ac* ar y *tu* Gorllewyn tri phorth.

14 A' *magwyr y dinas oedd a doyddec ‡gryndwal yddi, ac yndynt hwy enwey y doyddec ebostolion yr Oen.

* Llat. *murus. i.* mur, gwal
‡ sail

15 Ac yrydoedd gan yr vn y ymddiddanoedd a mi, corsen aur y vessyr y dinas, ae phyrth hi, ae mag wyr *hi*.

16 A'r dinas y osodwyd yn bedwar ‡ochrog, ae *hud oedd cymeint ae lled, ac ef y vessyroedd y dinas ar corsen, doyddec mil ‡ystod: ae hud, ae lled, ae hywch-ter 'sy yn ‡'ogymeint.

* hyd

‡ gogymetrol
* cant a'. 44 cuvydd
* ys ef

17 Ac ef y vesyroedd y magwyr hi, *pedwar cubyt a seith igein, wrth vessyr dun, *yr hwn yw, *mesur* yr Angel.

18 Ac adeil y magwyr hi oedd o vaen Iaspar, a'r dinas oedd aur pur, yn debic y wydyr gloyw.

19 A' gryndwal magwyr y dinas oedd gwedy y thrwsio a' phob rryw vaen gwerthfawr: y gryndwal cynta *oedd maen* Iaspar: yr eil *o* Saphir, y trydydd oedd o vaen Chalcedon: y pedwerydd Smaragdus,

20 Y pymed Sardonix: y chweched Sardius: y seith-fet Chrysolithus: yr wythfed Beryl: y nawfed Topazius: y decfed Chrysoprasus: yr vnfed ar ddec Hiacinthus: y doyddecfed, Amethystus.

21 Ar doyddec porth doyddec perl *oeddent*, a' phob porth *'sydd* o vn perl, a' heol y dinas *'sy* aur pur, mal gwydyr disgleyr*edd*.

22 Ac ny weleis i vn demel yndi: cans yr Argl-Ddyw hollallvawc a'r Oen, *yw y themel hi.

* *est*

23 Ac nyd rreid yr dinas, wrth yr hayl, na'r lleyad y ‡'oleyo yndi: cans gogoniant Dyw y goleyoedd hi, a'r Oen yw y goley*ni* hi.

‡ lewychy, dywynu

24 A'r bobyl cadwedic, y rrodiant yny goley*ni* hi: a'

Brenhinoedd y ddayar y ddugant y gogoniant, ae an-
rrydedd yddi hi,

25 Ac ny chayer y phyrth hi can *trwyr dydd: ny
vydd *ddim* nos yno.

26 A' gogoniant, ac anrrydedd, y Cenedloedd a dducir
yddi.

27 Ac nyd a y mewn yddi dim aflan, neu beth bynac
y weythio *casineb, ney gelwddey, ond y rei y escrifenwyt   * ffieiddbeth
‡mewn Llyfr bowyd yr Oen.   ‡ yn

Pen. xxjj.

Auon dwfr y bywyt. 2 Frwythlawndep a goleuni dinas Dew.
6 Yr Arglwydd byth yn rhybyddio ei weision am betheu y
ddyvot. 9 Yr Angel eb vynu ei addoli. 18 Gair Dew nyd iawn
angwanegu dim arno na lleihau dim o hanaw.

AC ef y ddangosoedd y mi afon pur o dwr y bowyd *yn*
dysclaer*o* mal y crystal, yn dyfod allan o eisteddle
Dyw, a'r Oen.

2 Ynghanol y heol hi ac o ‡ddwy och*o*r yr afon, yr   ‡ bop-parth
ydoedd pren y bowyd, yr hwn oedd yn dwyn doyddec
rriw ffrwythey, ac y rroedd ffrwyth pob mis, a' deil y pren
a vvasanethei y iachay y nasioney.

3 Ac ny vydd dim *rrec mwy, ond eisteddle Dyw   * melltith
a'r Oen y vydd yndi, ae wasnaethdynion y was-
naethant arno *ef.*

4 Ac hwy y welant y weyneb ef, ae Enw ef y vydd
yny talceni hwynt.

5 Ac ny vydd yno *dim* nos *mvvy,* ac nyd rreid
yddynt *dim* canwyll, na goleyad yr haul: can ys yr
Arglwydd Ddyw ysydd yn rroi yddynt *g*oleyni, ac hwy
y deirnasant yn dragywydd.

6 Ac ef y ddwad wrthyfi, Y geiriey hyn ydynt ffydd-
lawn a' chywir, ‡ar Arglwydd Ddyw y proffwydi sanct-   * a'r
aidd y ddanfonoedd y Angel y ddangos yddy was-
naethwyr y pethey ysydd reid y gyflewni ar *vrys.   ‡ vyr, yn vyan
                                                    * Gwynvydedic,
7 Syna, yr wyf yn dyfod ar vrys, *Bendigedic yw'r   dedwydd
vn y gatwo geiriey proffedolaeth y Llyfr ‡yma.˙   ‡ hwn

8 Ac mi wyf Ioan, yr hwn y weleis, ac y glyweis y
pethey hyn: a' phan ddar*f*oedd ymi y clywed ae
gweled, mi syrthies y lawr y addoli gair bron traed yr
Angel, yr hwn y ddangosoedd ymi y pethey hyn.

9 Ac ef y ddwad wrthyfi, Gwyl na *vvnelych:* cans cydwasnaethwr *yr* wyf a thi, ath vrodyr y Proffwydi, ar rrei ydynt yn cadw geiriey y Llyfr hwn: addola Ddyw.

10 Ac ef y ddwad wrthyfi, Na sela geiriey pryffod-olaeth y Llyfr hwn: can ys y mae'r amser yn agos.

11 Yr vn ysydd anghyfiawn, bid anghyfiawn ‡eto: ar vn y sydd *vudr, bid ‡vudr etto: ar vn ysydd cyfiawn, bid cyfiawn etto: ar vn ysydd santeidd, bid santeidd etto.

12 A' syna, yrwyf yn dyfod ar vrys, am gobrwy ysydd gyd a mi, y rroddi y bob *duyn yn ol y ‡vutho y weithredoedd.

13 Mi wyf α ac ω, y dechreyad ar diwedd, y cyntaf ar dywethaf.

14 Bendigedic *yvv* y rrei, y wnelo y 'orchmyney ef, mal y gallo y cyfiawnder hwy vod ymhren y bowyd, ac y gallont ddyfod y mewn trwyr pyrth *yr dinas.

15 Can ys or ty allan *y bydd* cwn, ar ‡cyfareddwyr a' phytteinwyr, a llyaswyr, a' delw-addolwyr, a phob vn y garo ney y wnelo celwydd.

16 Myvi Iesu y ddanvones vu Angel, y dystolaethu y chwi y pethey hyn yn yr eglwysi: mi wyf gwreidd*yn* a' chenedlaeth Ddavydd, ar seren vore eglur.

17 Ar ysbrud ar priodasverch ydynt yn dwedyd, Dabre, A'r vn y wrandawo, dweded, Dabre: A'r vn ysydd sychedic, doed: a'r vn y vyno, cymered dwr y bowyd, yn *rrydd.

18 Can ys yrwyf yn ‡dangos y bob vn y wrandawo geiriey pryffodolaeth y Llyfr hwn, o *dyd *vn *duyn* ddim at y pethey hyn, Dyw y ddyd atto ef y plae, escrifenedic yny Llyfr hwn.

19 Ac o thyn *duyn* ymaith ddim o 'eiriey'r Llyfr y proffedolaeth hon, Dyw y gymer ymaith y rran allan o lyfr y bowyd, ac allan or dinas santeidd, ac oddiwrth y pethey y escrifenir yn y Llyfr hwn.

20 Yr vn y sydd yn tystolaethu y pethey hyn, ysydd yn dwedyd, Yn siccir, yrwyf yn dyfod ar vrys. Amen. Velly dabre, Arglwydd Iesu.

21 Rrad eyn *h*Arglwydd Iesu Grist *y vo* gyd a chwi oll, Amen.